أناقةٌ إمبراطورية

منسوجات من إيران الصفوية

ملاحظة للقارئ

يأتي هذا الكتاب مصاحباً لمعرض "أناقةٌ إمبراطورية" الذي يستضيفه متحف الفن الإسلامي بالدوحة من ٢٥ أكتوبر ٢٠٢٣ إلى ٢٠ أبريل ٢٠٢٤.

ويعرض مجموعة مختارة من القطع المعروضة في متحف الفن الإسلامي، كما يحوي مجموعة صغيرة من اللوحات من معرض فرير للفنون، والمتحف الوطني للفنون الآسيوية في واشنطن العاصمة، في تحيةٍ للمعرض الجميل الذي نظمته معصومة فرهاد وقدمه المتحف الوطني للفنون الآسيوية بالتعاون مع متحف الفن الإسلامي في عام ٢٠٢١.

وثّق هذا الكتاب التواريخ وفقاً للتقويمين الهجري والميلادي، باستثناء القطع الآتية من خارج العالم الإسلامي والمعلومات المتعلّقة بالأشخاص المولودين في الدول الأوروبية.

كما يوفر ملحق المجلّد معلومات فنية وتحليلاً هيكلياً لبعض المنسوجات المعروضة في المعرض.

صورة الغلاف: لوحة شخصية لامرأة أرمنية (تفصيل، انظر ص. ١١٢)

صورة الغلاف الداخلي: قطعة نسيج (تفصيل، انظر ص. ٥٢)

المحتويات

سعادة الشيخة المياسة
بنت حمد بن خليفة آل ثاني
رئيس مجلس أمناء متاحف قطر

تمهيد

يعرض هذا الكتاب استكشافاً رائعاً للأحداث التاريخية المتشابكة عبر القرون، بما في ذلك الصراعات على السلطة، والمنافسات التجارية، والإلهام الفني، وابتكارات الموضة التي تجاوزت حدود الدولة الصفوية لتصل إلى قارات أخرى. ويصحبنا في رحلة مشوقة عبر حدائق نابضة بالحياة والألوان والتفاصيل الفنية الدقيقة، ويدعونا إلى تقدير هذه المقتنيات الرائعة الموجودة في "أناقةٌ إمبراطورية: منسوجات من إيران الصفوية". هذا المعرض أُقيم في واشنطن العاصمة في ٢٠٢١-٢٠٢٢ في المتحف الوطني للفنون الآسيوية التابع لمؤسسة سميثسونيان، ضمن إطار فعاليات العام الثقافي قطر-أميركا. وتعاونت متاحف قطر مع مؤسسة سميثسونيان لعرض مقتنيات فنية رائعة، من مجموعة متحف الفن الإسلامي بالدوحة، على الجمهور الأميركي.

ويمثل هذا الكتاب نسخة موسّعة من المعرض الأصلي الذي افتتحه متحف الفن الإسلامي في أكتوبر ٢٠٢٣، ليستمتع به جمهورنا في الدوحة. حيث يضمّ مقتنيات تشع جمالاً؛ وتعرض زخارف نباتية دقيقة ومعقدة كانت تزين سجادَ العصر الصفوي المميز، وتزين ملابسَ الشخصيات البارزة في ذلك العصر. ولا سيما أن المتحف أضاف روائع فنية معارة من متاحف قطر، بما فيها مجموعة المقتنيات العامة ومجموعة مقتنيات متحف لوسيل، إضافةً إلى مقتنيات مكتبة قطر الوطنية، إلى مجموعة مقتنيات متحف الفن الإسلامي التي عادت من واشنطن بعد عرضها هناك.

إن أهم ما يمكن أن يُقال عن هذا الكتاب الغني بالمغامرات التاريخية والبصرية، إنه وصف تنويري لقوة الاقتصاد الإبداعي. هنا يمكنك أن تقرأ كيف كانت الإمبراطورية التي ورثها الشاه عباس الأول في حالة من التدهور والفوضى عندما اعتلى العرش، وكيف تغلب على التحديات الجمة التي واجهته من خلال تطوير صناعة المنسوجات الحريرية الرائعة وتصديرها، كما هو موضح في هذا الكتاب. لقد فتح الترويج للفن والحِرف اليدوية طريقاً نحو الاستقرار والازدهار والمكانة السياسية، وهو درسٌ يستحق التأمل في عصرنا هذا.

أهنئ كل من ساهم في إنجاز هذا الكتاب، الذي سيمكّن الناسَ في كل مكان من زيارة معرضنا "أناقةٌ إمبراطورية"، والعودة لزيارته في المستقبل على المدى البعيد.

جوليا غونيلا

مدير متحف الفن الإسلامي

مقدمة المدير

خصّصت قطر عام ٢٠٢١ ليكون عام الثقافة مع الولايات المتحدة وفرصة للتبادل الثقافي الهادف إلى مد الجسور بين البلدين. بيد أن تفشي الوباء في عام ٢٠٢٠، حدّ من إمكانية تحقيق أي نوع من البرامج الطموحة. ولم يُستثن من ذلك إلا التعاون بين متحف الفن الإسلامي في الدوحة ومتحف سميثسونيان الوطني للفنون الآسيوية في العاصمة واشنطن. ويعود الفضل في إقامة المعرض إلى كبيرة أمناء المتحف الوطني والمتخصصة في الفن الإيراني، معصومة فرهاد، التي اقترحت مفهوم مزاوجة المنسوجات الصفوية الشهيرة واللوحات الزيتية في مجموعة الدوحة مع لوحات مخطوطة ورسومات من واشنطن.

وقد افتتح معرض "أناقةٌ إمبراطورية: المنسوجات الصفوية من متحف الفن الإسلامي بالدوحة" في المتحف الوطني في ديسمبر ٢٠٢١ وتلقى فيضاً من ردود الفعل الإيجابية وسيلاً من الزوار الممتنين والسعداء بالعودة إلى المتحف. تسلّط المجموعة المختارة الضوء على ثراء المؤسستين، وتبرز الرونق التقني والفنّي غير المسبوق الذي ميّز النسيج المنتج في القرن الحادي عشر الهجري/ السابع عشر الميلادي في إيران الصفوية. إلا أن المعرض لم يكن مجرد استعراض للقطع الفنيّة المذهلة، ولكن كشف أيضاً عن السياق الاقتصادي والسياسي خلف إنتاج هذه الأعمال. فقد شكّل الحرير المصنوع في المقاطعات شمال غرب إيران مصدراً مدراً للأرباح للدولة الصفوية، وأسهم في ثراء الدولة وفي تعزيز علاقاتها الدبلوماسية والتجارية.

إن قرار استضافة نسخة موسعة من المعرض في متحف الفن الإسلامي في الدوحة، بعنوان "أناقةٌ إمبراطورية: منسوجات من إيران الصفوية"، يقدم فرصة هامة لمشاركة المعرض مع جماهير جديدة ومختلفة. فلطالما كانت المنسوجات والسجادات الإيرانية الفاخرة موضع تقديرٍ كبيرٍ في الوطن العربي لجمالها ورقيها. وقد طوّر متحف الفن الإسلامي في قطر النسخة الأصلية من المعرض من خلال استعارة قطع إضافية من متاحف قطر، سواء من إدارة المقتنيات العامة أو متحف لوسيل أو مكتبة قطر الوطنية. كما يقدم معرض الدوحة أيضاً قسماً جديداً يتضمّن أعمالاً معاصرةً مستوحاة من الفن الصفوي، بالتعاون مع M7، مركز قطر للابتكار وريادة الأعمال في التصميم والأزياء والتكنولوجيا، وجميعها من إنتاج مصممين مقيمين في قطر.

وما كان معرض "أناقةٌ إمبراطورية" ليتحقق لولا عددٍ من المساهمين الرئيسيين. لذلك، أبدأ بالتقدم بجزيل الشكر للشيخة المياسة بنت حمد بن خليفة آل ثاني على ما أغدقته من دعمٍ على المعرض. والشكر موصول لمحمد سعد الرميحي، الرئيس التنفيذي لمتاحف قطر، والشيخة آمنة آل ثاني، نائب الرئيس التنفيذي للمتاحف والمقتنيات وحماية التراث.

ولا يفوتني أن أنوّه بجميل الدعم الذي قدمه تشيس ف. روبنسون، والسيدة جيليان ساكلر، مديرة المتحف الوطني للفنون الآسيوية التابع لمؤسسة

سميثسونيان طوال فترة المشروع. كما أعبّر عن عميق امتناني لمعصومة فرهاد، أمينة الأسرة الإبراهيمية للفن الفارسي والعربي والتركي والمديرة المساعدة الأولى للأبحاث، التي ابتكرت المعرض الأصلي وأعدّته، وحرصت على تقديم الدعم المستمر والثابت لفريق متحف الفن الإسلامي في قطر. وأود أيضاً أن أعرب عن امتناني لعائشة العطية، التي شغلت منصب مديرة قسم الأعوام الثقافية بمتاحف قطر وفريقها على الدعم والمساعدة لإنجاح هذا التعاون مع واشنطن.

وأيضاً، لا بدّ من توجيه كلمة شكر إلى مؤسسات إعارة المقتنيات في قطر والمدراء وأمناء المعارض والزملاء الذي سهّلوا تلبية طلبات الإعارة التي تقدّمنا بها، ونخصّ بالذكر جايلز هادسون وجوليا توغويل (متحف لوسيل) ودانة الغافري ونيمانيا كافلوفيتش وتاتيانا زدانوفا (إدارة المقتنيات العامة، متاحف قطر) وهويسم تان وعائشة الأنصاري ويوسف الأنصاري وستيفان إيبيرت وحسين سين وجوليا مارتيني (مكتبة قطر الوطنية، مؤسسة قطر) وزميلتنا السابقة فاسيلينا سيكولوفا (انتقلت حالياً إلى مركز أكسفورد للدراسات الإسلامية).

نعبّر أيضاً عن صادق امتناننا إلى زملائنا في M7 على تلقفهم فرصة التعاون مع متحف الفنّ الإسلامي ودعمهم لنا في استقطاب المواهب الإبداعية في قطر إلى حيّز المعارض. إن هذا التعاون الأّول من نوعه بيننا هو ثمرة الدعم الفعّال والإيجابي من مها غانم السليطي ومراكش إليزبيث أربوكل وكارن كلير جينز نيكوليت وهند محمد المنصور وشيخة جبر حمد آل ثاني (انتقلت حالياً إلى مكتب رئيس مجلس الإدارة). كما نتقدم بشكر خاص أيضاً إلى المصمّمين أنفسهم الذي عملوا بلا كلل على إنجاز قطع خاصة للمعرض: جواهر الدرويش ونور آل ثاني وروني حلو وأرمان منصوري وياسمين منصور.

أُعدّت نسخة الدوحة من المعرض تحت إشراف نيكوليتا فازيو، أمينة الأراضي الإيرانية، التي أشكرها على احترافيتها وتفانيها في العمل لإقامة المعرض الرائع في قطر. والشكر موصول أيضاً إلى تارا ديجاردان، أمينة جنوب آسيا لدعمها ومساهمتها في توسيع المعرض ليضمّ التعاون الناجح مع M7.

ندين أيضاً بكثير من الشكر إلى الكتّاب على مساهماتهم القيّمة: نيكوليتا فازيو على اقتراحها للمفهوم المميّز للكتاب وإعدادها المقال التقديمي ومدخلات الصور في الكتالوج، وأيضاً تارا ديجاردان ومعصومة فرهاد وسومرو بلغير كرودي وتاتيانا زدانوفا على الأبحاث المميّزة التي أجروها والتي أغنت المعلومات المتوفرة عن هذه المنسوجات. كما أتقدّم بالشكر إلى المتحف الوطني للفنّ الآسيوي في واشنطن العاصمة لمنحنا الإذن بإعادة تقديم بعض أجمل مخطوطاته ورسوماته التي تكاملت مع المنسوجات الواردة في ألبوم المعرض.

أشكر أيضاً رندة تقي الدين مديرة قسم المطبوعات في متاحف قطر وتريسي غولدينغ على تفانيهما الدائم في العمل على منشوراتنا وماريكا سردار على عملها التحريري المتقن في هذا المشروع.

وأخيراً وليس آخراً، أتقدّم بجزيل الشكر إلى جميع الزملاء في المتحف الوطني للفنّ الآسيوي في واشنطن ومتحف الفنّ الإسلامي في الدوحة الذين أسهموا من خلال تعاونهم فيما بينهم وتفانيهم بالعمل في إقامة هذا المعرض وتحويله إلى تجربة لا تُنسى بالنسبة لجميع الزوّار.

معصومة فرهاد

أمينة الأسرة الإبراهيمية للفن الفارسي والعربي والتركي،
متحف سميثسونيان الوطني للفن الآسيوي

مقدّمة

مع تولي الشاه عباس الأول مقاليد الحكم (حكم من ٩٩٦-١٠٣٨ هـ/١٥٨٨-١٦٢٩ م)، أصبح الحرير السلعة الأكثر ربحيةً في إيران الصفوية. وقد شاع إنتاجه في محافظتيّ جيلان ومازندران على طول بحر قزوين وتصنيعه في عدد من المدن المختلفة مثل يزد وقاشان وأصفهان وكرمان ومشهد. وفي حين كان الأرمن يسيطرون على تجارة الحرير في البرّ، شجّع الشاه المنافسة بين الشركات البرتغالية والهولندية وشركة الهند الشرقية الإنجليزية على تصدير كلّ من الحرير الخام والأقمشة الجاهزة عن طريق البحر. أمّنت هذه التجارة ثروة اقتصادية كبرى لإيران وأسهمت في ازدهارها، لكن المنسوجات غدت أيضاً وسيطاً قوياً للأفكار الفنية الجديدة التي غيّرت اللغة التصويرية الصفوية.

إن معرض " أناقةٌ إمبراطورية" هو أول معرض يركز بشكل أساسي على المنسوجات واللوحات الصفوية العائدة للقرن الحادي عشر الهجري/السابع عشر الميلادي، وهما أبرز شكلين من أشكال التعبير الفني السائد آنذاك في إيران ممّا يسمح بتسليط الضوء على البذخ البصري والطابع العالمي الذي عمّ الثقافة الصفوية في الفترة المتأخرة. أُقيم المعرض في الأصل في المتحف الوطني للفنون الآسيوية، سميثسونيان، في واشنطن العاصمة، في الفترة الممتدة من ١٨ ديسمبر ٢٠٢١ إلى ١٥ مايو ٢٠٢٢، وتألف المعرض من أعمال من المتحف الوطني للفنون الآسيوية ومتحف الفن الإسلامي في الدوحة. وقد تضمنت هذه المجموعة المختارة رسوماً توضيحية لمخطوطات مرسومة بشكل دقيق وصفحات ألبومات من كل من إيران والهند، ومنسوجات وسجادات فاخرة، بالإضافة إلى صور كبيرة مرسومة بالزيت على القماش.

وبعد نجاح المعرض في واشنطن، أعيد تقديم المفهوم وتوسيعه لإقامة معرض مذهل في متحف الفن الإسلامي بالدوحة. تعتمد سردية المعرض على ما يقارب مئة عمل فني، وتتتبع صعود الشاه عباس إلى السلطة، وتأسيس قطاع الحرير المموّل من الدولة، وتطور أصفهان باعتبارها العاصمة البهيّة لإيران الصفوية، واتجاهات الموضة في القرنين العاشر والحادي عشر الهجريين/ القرنين السادس عشر والسابع عشر الميلاديين. ويتضمن المعرض أيضاً أعمالاً مستوحاة من القطع الصفوية لمصممين معاصرين مقيمين في قطر. يقدم الكتالوج التالي مجموعة مختارة من القطع المعروضة في المعرض بالإضافة إلى أبحاث جديدة مستوحاة من الأعمال المعروضة، بما في ذلك المنسوجات المنقوشة المرتبطة بسيفي عباسي، والظهور المفاجئ للمنسوجات الصفوية في إبداعات كارتييه، ودراسة فنية لمجموعة مختارة من منسوجات الدوحة.

يسلط المعرض والكتاب المصاحب له الضوء على أهمية المنسوجات في العالم الإسلامي. فكما توضح لوحات المخطوطات وصفحات الألبومات، لم يقتصر استخدام الأقمشة على صناعة الملابس لتغطية الجسم وحمايته، بل

صور من معرض "أناقةٌ امبراطورية" في متحف سميثسونيان الوطني للفنّ الآسيوي، واشنطن، ٢٠٢١-٢٠٢٢ ومتحف الفنّ الإسلامي، الدوحة، ٢٠٢٣-٢٠٢٤

تعداها للتدليل على هوية الشخص ومكانته الاجتماعية. فقد درج الأصفهانيون الأنيقون من رجالٍ ونساء على ارتداء أثواب فضفاضة متشابهة تعتمد على تعدد الطبقات لإظهار أنواع مختلفة من القماش. وكان غطاء الرأس أبرز ما يميّز الملابس؛ فقد كان الرجال يرتدون عمائم ملفوفة بأناقة والنساء يرتدين حجاباً جميلاً. كما تم تحويل الأقمشة إلى مفروشات (فوط، أغطية، وسائد، تنجيد، ستائر، إلخ)، وهندسة متحركة ومدن كاملة مصنوعة من الخيام. لعبت المنسوجات دوراً أساسياً في احتفالات البلاط أيضاً. على سبيل المثال، كانت أهم هدية يمكن أن يمنحها الحاكم لشخصية زائرة أو مسؤول مستحق هي رداء الشرف (خلع الشرف) تقديراً لمكانة الفرد وإنجازاته.

استمرت هذه الاستخدامات التقليدية للمنسوجات خلال الفترة الصفوية، لكن التجارة النشطة مع أوروبا وروسيا والهند كشفت للفنانين عن أفكار ومفاهيم جديدة على مستوى الشكل والتقنية. فأدخلوا الزخارف الهندية والغربية في عملهم، وقاموا بتعديلها ودمجها بشكل متناغم مع الجماليات الصفوية التقليدية. في المقابل، بات الحرير المصنّع بعناية، وخاصة الأقمشة ذات الأرضية المعدنية (الزربافت) من أغلى أنواع النسيج في السوق الأوروبية، إلى جانب المخمل الفاخر والسجاد المنسوج بدقة الذي أصبح من العناصر الفاخرة المرغوبة في الخارج حيث بات بمثابة رموز جديدة وغريبة للثروة والمكانة.

إحدى السمات البارزة للمنسوجات الصفوية في القرن الحادي عشر الهجري/ السابع عشر الميلادي هي الانشغال بالتركيبات التصويرية. وتشهد الأمثلة الرائعة في متحف الفن الإسلامي على التعقيد الفني والحيوية البصرية لهذه الأعمال. تعتمد بعض التصاميم على تحويل التراكيب التقليدية الموجودة في المخطوطات والألبومات إلى أنسجة فاخرة، فيما يبدو واضحاً أن البعض الآخر مستوحى من النماذج الأوروبية، ثم تم تكييفه بمهارة مع الذوق الصفوي. تتجلى الاستجابة النبيهة للمفاهيم الفنية والزخرفية الجديدة أيضاً في اللوحات الزيتية الرائعة وكبيرة الحجم من تلك الفترة. ينصب التركيز هنا على مظهر الأشخاص، وخياراتهم في الملابس المستوحاة من الغرب، والأمكنة التي تم إعدادها بدقة والتي تجسد ما تمتّعوا به من رقيّ وتطوّر في هذه الحياة الدنيا. ومع ذلك، فإن الأسلوب المثالي للوحات يرسّخ رواج رسوم البورتريه في أواخر القرن الحادي عشر الهجري/السابع عشر الميلادي، ويؤكد، جنباً إلى جنب مع الأقمشة الحريرية الرائعة ولوحات المخطوطات التفصيلية وصفحات الألبوم التعبيرية، على التطور الفني والثروة المادية والمنظور العالمي لدى الصفويين.

نيكوليتا فازيو

الملك الذي سيغدو تاجراً

الحرير وصناعة القوة الصفوية في عهد الشاه عباس الأول

الملك تاجر، لا يأتي أحدٌ بسلعةٍ إلى المدينة إلا ورفضها بواسطة وزرائه. وإن نتج أي ربح من ذلك، فلا يحصّل التاجر أياً منه. فالملك يعرف التجار التابعين له، مما يجبر رعاياه على أخذ السلع مرة أخرى بسعره.

وصف إدوارد بيتوس، وسيط شركة الهند الشرقية البريطانية، في وثيقة تعود إلى يونيو من العام ١٦١٧ خلال زيارته لأصفهان، حاكم إيران، الشاه عباس الأول (حكم ٩٩٦-١٠٣٨ هـ/١٥٨٨-١٦٢٩ م) بأنه أشبه بشهبندر التجار، إذ يراقب جودة البضائع والسلع المتبادلة ضمن أراضيه، ويحرص على وقوع كلّ مردودٍ متأتٍ عنها في يد التاج[١]. وتوضح توصيفات بيتوس، إلى جانب آخرين خاضوا مجال التجارة في إيران، أن الشاه عباس كان حازماً فيما يتعلّق بالصادرات الإيرانية، وكان يتدخّل بشكلٍ مباشر في كل نواحي حكمه[٢].

تبوأ الشاه عباس الحكم بعد خلع محمد خوداباندا في ٢٧ شوال عام ٩٩٦ هـ/ ١ أكتوبر ١٥٨٨ م (انظر كتالوج ١)، فورث عنه بلاداً في حالٍ يرثى لها بعد أن أنهكتها الاضطرابات السياسية وخسرت من أراضيها ما خسرت بفعل توالي سنوات الحرب ضد الأوزبك والعثمانيين (وقد دامت هذه الأخيرة بين ٩٨٦-٩٩٨ هـ/١٥٧٨-١٥٩٠ م، تخللتها صراعات متقطّعة طوال فترة حكمه). بيد أن الشاه عباس الذي كان يتصرف ببطش أحياناً، تمكّن من إبعاد التهديدات الأجنبية في السنوات العشر الأولى من حكمه، بالحرب حيناً، والدبلوماسية حيناً آخر. كما أحكم قبضته على الحكم عبر إجراء إصلاحاتٍ عسكرية وسياسية دعمت الدولة الصفوية. وقد برز من بين هذه الإصلاحات إنشاء ميليشيا الغلمان، المكوّنة من عبيدٍ غير إيرانيين، يعملون تحت إمرته مباشرة[٣]. عُيّن الغلمان في مناصب حكومية مؤثرة، وتصدّوا للسطوة المتنامية للضباط القزلباش وحكامهم، المنتمين إلى اتحاد قبائل التركمان التي ساعدت السلالة الصفوية في الوصول إلى الحكم في مطلع القرن العاشر الهجري/السادس عشر الميلادي ثم تحولوا إلى حكام الأمر الواقع لولايات بكاملها (الرسم ١)[٤].

في هذه الأثناء، أي في حوالي العام ١٠٠٠ هـ/١٥٩٠ م، شرع الشاه عباس، مدفوعاً بعوامل عسكرية واقتصادية وداخلية، في تنظيم عملية نقل العاصمة الصفوية من قزوين إلى أصفهان[٥].

كانت أصفهان، وهي مركز حضري عتيق، عاصمة السلاجقة بين القرنين الخامس والسادس الهجريين/الحادي عشر والثاني عشر الميلاديين، كما أنها كانت تتميز بغناها بمصادر المياه وبموقعها الجغرافي الاستراتيجي عند تقاطع الطرق التجارية. وبعد نقل العاصمة إلى أصفهان رسمياً في العام ١٠٠٦ هـ/١٥٩٧-١٥٩٨ م، باتت المدينة تجسيداً حياً للقوة الصفوية، المظهّرة من خلال خطة معمارية ضخمة وطموحة، تعكس العلاقات المتشابكة بين سياسة البلاط، والطموح الاقتصادي، وصلاح المُلك، بالإضافة إلى الحاجة إلى التلاحم الاجتماعي في صفوف رعيّة الشاه.

الرسم ١
مسؤول قزلباشي يمتطي حصاناً، رسم من *Voyages de Monsieur le Chevalier Chardin, en Perse, et autres lieux de l'Orient* لجان شاردان، هولندا، أمستردام، ١٧١١ م، طباعة على ورق، مكتبة قطر الوطنية، الدوحة، HC.FB.2015.0010.006

الرسم ٢
منظر لميدان نقش جهان، ساحة أصفهان العامة، رسم من *-Amoenitatum exoticarum politico physico-medicarum fasciculi V* لأنغلبرت كامفير، ألمانيا، ١٧١٢ م، طباعة على ورق. مكتبة متحف الفن الإسلامي، الدوحة، مجموعة الكتب النادرة، MIA RARE Q 111.H3 1712

وقد تحقق ذلك من خلال بناء الساحة الإمبراطورية الضخمة "ميدان الشاه" (ساحة الملك)، المعروفة أيضاً بميدان نقش جهان، وتعني "صورة العالم")، التي شكّلت محور حياة المدينة، واصطفت حولها القصور الملكية ومساجد الدولة والبازار الملكي (الرسم ٢)[٦]. ولم يكن موقع البازار وليد الصدف، بل انعكاساً لخطة الشاه عباس الرامية إلى إعادة بناء اقتصاد مملكته. وفي سعيه لتغيير دفة السياسة الصفوية وترك بصماته على التاريخ الإيراني، شرع الشاه عباس في الاستفادة ممّا سيصبح سلعة التصدير الأكثر ربحية للاقتصاد الإيراني: الحرير[٧].

كانت إيران تنتج الحرير بالفعل منذ عدة قرون،[٨] ولكن عهد الشاه عباس حوّل هذه العائدات إلى ركيزةٍ أساسية في اقتصاد الدولة. ولم يعد نقش المنسوجات وتطريزها حكراً على ورش العمل في العاصمة أصفهان، بل تعدّاها إلى مراكز أخرى في جميع أنحاء البلاد، من تبريز إلى قاشان، وصولاً حتى مشهد.

كان الطلب على هذا النوع من المنسوجات يأتي في المقام الأول من البلاط الصفوي، الذي أصبح رائد الموضة بالنسبة للنخب الحضرية، ما أسهم في تحفيز الطلب الداخلي على الحرير.

وإلى جانب تمويل المشاريع المعمارية الكبرى في أصفهان، استخدم الشاه عباس أرباح تجارة الحرير كوسيلة لبسط السيطرة السياسية، فخصّ أعضاء البلاط الموثوقين ووكلائه التجاريين المفضلين بإدارة تجارة الحرير. كان إنتاج الحرير يتمّ في منطقتي جيلان ومازندران شمال غرب إيران، على طول الساحل

الجنوبي لبحر قزوين، اللتين كانتا (ولا تزالان) تتمتعان بمناخٍ مثاليٍ لزراعة أشجار التوت وتربية دود القز.[٩] كان وضع هذه المنطقة تحت السيطرة الملكية المباشرة عام ١٠٠٠ هـ/١٥٩٢ م بمثابة حجر الأساس في استراتيجية الشاه، ما سمح له في نهاية المطاف بترسيخ احتكار الدولة لتجارة الحرير وتصديره.

ولدعم هذه الخطة السياسية والاقتصادية الكبرى، قادت الدولة سلسلة من الإصلاحات والمشاريع، منها بناء شبكة قوية من المسالك والكرفانسراي (النُزُل) التي ربطت أجزاء مختلفة من المملكة، وعُرفت بأمانها.[١٠]

علاوة على ذلك، خضعت سلسلة إنتاج الحرير برمّتها إلى عملية إعادة تنظيم، بدءاً من تربية دود القز وحتى نقطة البيع. فاتخذت الطابع المركزي، وأُوكِلت مهمّة إدارة المدفوعات، وجمع البضائع، والتوزيع في الأسواق إلى أفراد لعبوا دوراً استراتيجياً في تجارة الحرير.

وضع الشاه عباس عملية التصدير بيد كبار التجار الأرمن الذين كانوا يتولون التجارة بين الأسواق الصفوية والعثمانية.[١١] وبأمر من الشاه عباس، في حوالي ١٠١٣- ١٠١٤ هـ/١٦٠٤- ١٦٠٥ م، تم ترحيل جزء كبير من السكان الأرمن المقيمين في جلفا (أذربيجان حالياً) قسراً ونُقلوا في نهاية المطاف إلى الحي المُنشأ حديثاً في جلفا الجديدة في أصفهان. اتُّخِذ هذا القرار لأسباب متّصلة بالأمن العام، فقد كانت المناطق الشمالية الغربية من الأراضي الصفوية مسرحاً رئيساً للصراع المتقطّع بين العثمانيين والصفويين.

ولكنه كان مدفوعاً بسبب أكثر استراتيجية: فقد سمح نقل الأرمن من جلفا إلى أصفهان للشاه بمراقبة أنشطة هذا المجتمع النافذ والمترابط.[١٢] وفي محاولة لبناء علاقات تجارية ودبلوماسية متينة والسيطرة على المنافسة الاقتصادية، منح الشاه عباس أيضاً امتيازات تجارية لشركات الهند الشرقية الإنجليزية والهولندية التجارية، التي نشطت بشكل خاص في منطقة الخليج والمحيط الهندي.[١٣] وقد أثمرت هذه الإجراءات عن ترسيخ موقع إيران على خريطة العالم كقوة اقتصادية عظمى في أواخر أيام الشاه عباس، حيث أصبحت مدينة أصفهان المركز التجاري الرئيسي للإمبراطورية.[١٤]

غذّت تجارة الحرير الخام الخزانة الصفوية بتدفقٍ ثابتٍ من العملات الفضية، والتي أمكن استخدامها لدعم خطط الشاه عباس السياسية وبناء البنية التحتية بالإضافة إلى تمويل حملاته العسكرية.[١٥] ذاع صيت الحرير الإيراني لجودته ولمعانه الفريد، ما أضفى عليه قيمة ميّزته عن المنافسين الرئيسيين الآخرين، بما فيهم الامبراطورية العثمانية والمدن التجارية الإيطالية مثل البندقية وفلورنسا وجنوة، التي كانت نشطةً بشكل كبير في تجارة المنسوجات في ذلك الوقت.[١٦]

استخدم الشاه عباس الحرب ضد العثمانيين لصالحه بما أنها أبطأت بشكل كبير التدفق البري للسلع التجارية المتوجهة إلى حلب وبورصة ولاحقاً إزمير، ما أدى إلى تحويل تجارة الحرير جزئياً شمالاً إلى موسكو، والأهم، عبر الخليج.[١٧] وفي

سعيه للحصول على حلفاء ضد جارته القوية، استفاد الشاه عباس من جاذبية الحرير الإيراني التجارية لإنشاء علاقات مناهضة للعثمانيين مع الأوروبيين.

وقد تمكن أيضاً من خلال المبادرات الدبلوماسية من عقد صفقات مع الإنجليز والهولنديين المبحرين إلى هرمز أو المتمركزين في ميناء بندر عباس (المعروف سابقاً باسم جمبرون والذي انتُزِع من البرتغاليين عام ١٠٢٣ هـ/١٦١٤ م).[١٨] وبقي التجار الأرمن ممسكين بالتجارة البرية، فعملوا تحت رعاية التاج الصفوي في الداخل والخارج، ووصلوا حتى موسكو شمالاً والهند شرقاً.[١٩]

كان الحرير يصل من إيران إلى الأسواق الأوروبية بأشكال مختلفة: بصورة حرير خام لرفد صناعات النسيج المحلية، أو على شكل أطوال من القماش المصبوغ، أو على شكل مخمل ومنسوجات مطرزة بالذهب في نسج معقدة، ولكن بكميات محدودة أكثر. وقد جاء الربح الأكبر من الإيرادات الجمركية المتأتية عن تجارة هذه السلع. بيد أن تفعيل كل هذه السياسات تطلّب قدراً لا يستهان به من الدبلوماسية: فقد تم تداول الحرير في الأسواق كما تم تبادله في البلاطات كنوعٍ من الهدايا الدبلوماسية التي أرسلها الصفويون إلى القوى الأجنبية التي تعاملوا معها.[٢٠]

ويُقال إن إصلاحات الشاه عباس، في العقود الأولى من القرن الحادي عشر الهجري/السابع عشر الميلادي، قد أدت إلى إنتاج حوالي ٢٠ ألف بالة من الحرير الخام (حوالي ٢٢٠٠ طن)، وهي كميات هائلة لصناعة تعتمد على العمل اليدوي فحسب.[٢١] ويظهر أن هذه الكميات قد زادت بشكل مطرد على مدى ذلك القرن، مع تخصيص نسبة كبيرة من الإنتاج للسوق الدولية. فقد حظي الحرير الإيراني الخام بالإعجاب على نطاق واسع لجودته العالية، وأصبحت المنسوجات المصنوعة من الحرير الإيراني رمزاً لمكانة النخب الحضرية الأوروبية والطبقة البرجوازية المتنامية، ولا سيما في بريطانيا وهولندا.[٢٢]

أما على الساحة الإيرانية، فقد تم ارتداء هذه المنسوجات على شكل طبقات متعددة من الألوان والأنسجة التي تسرّ الناظرين.[٢٣] وكانت المنسوجات ذات الأنماط التصويرية المعقدة والكبيرة تعدّ أرقى تعبير عن الحرفية والأناقة الصفوية التي راجت خصوصاً في أوساط حاشية البلاط وعليّة القوم في أصفهان.[٢٤]

كانت أزياء الرجال والنساء على حد سواء تتخذ عادةً شكل معطف طويل وقميص وسروالٍ منفوخ، تستكمله مجموعة من الأكسسوارات المزخرفة، ابتداءً من أغطية الرأس إلى الأوشحة والجوارب، مع الأحذية ذات الكعب العالي التي تصل إلى الكاحل أو الأحذية الجلدية المسطحة. وفي حين تخبر قصاصات النسيج عن الجودة التقنية والفنية للقطع الحريرية المعروفة بـ"لامبا" وقطع المخمل الصفوية، فإن اللوحات الفنية من زمن الشاه عباس تقدم صورة حية عن أناقة مرتديها الذين اختالوا فيها في شوارع عاصمة الامبراطورية وبيوت الطبقة الأرستقراطية.[٢٥] كما قدّم لنا العديد من الرحالة والمبعوثين الأوروبيين إلى أصفهان وصفاً تفصيلياً

الرسم ٣
أنتوني فان دايك، السير روبرت شيرلي، إيطاليا، روما، ١٦٢٢ م، ألوان زيتية على قماش، ٢١٤ × ١٢٩ سم. بيتوورث، المملكة المتحدة، بيتوورث هاوس أند بارك، مؤسسة التراث القومي (ناشيونال ترست)، NT486169

الرسم ٤
أنتوني فان دايك، تيريزا، أو تيريزا سامبسونيا، الليدي شيرلي، إيطاليا، روما، ١٦٢٢م، ألوان زيتية على قماش، ٢١٤ × ١٢٩ سم، بيتوورث، المملكة المتحدة، بيتوورث هاوس أند بارك، مؤسسة التراث القومي (ناشيونال ترست)، NT486170

للملابس الصفوية، مشيدين بالتصاميم المزوّقة الأنيقة والمريحة أيضاً.[٢٦]

تركت الأنماط الصفوية أيضاً بصمة عميقة على الموضة الأوروبية، فأطلقت اتجاهات موضة وثّقتها اللوحات الفنية، بدءاً من اعتماد الطبقات للملابس المختلفة وحتى إدخال السترة الطويلة (التي تسمّى بالفرنسية justaucorps) والتي يقال إنها مستوحاة ممّا كان يسمى السترة الفارسية.[٢٧] وأفاض لمعان الحرير وملمسه الحسّي على جماليات الباروك الأوروبية، من الفنون البصرية إلى الموضة.

كان السفراء الصفويون إلى أوروبا دائماً ما يحملون المنسوجات أثناء رحلاتهم لعرض جودة الحرير الإيراني لكلّ من المفروشات والملابس، وبالتالي تعزيز الاهتمام التجاري بها. وبالفعل فإن المهام الدبلوماسية التي قام بها المبعوث الصفوي الإنجليزي الجنسية السير روبرت شيرلي بين عاميّ ١٠١٦هـ/١٦٠٨م و١٠٣١ هـ/١٦٢٢ م أثبتت نجاحها في هذا المجال (الرسمان ٣ و٤).[٢٨]

ويثبت كتاب رسمي من جياكومو فيندرامين إلى دوق البندقية ومجلس الشيوخ[٢٩] أن روبرت شيرلي قد ترك انطباعاً كبيراً على أفراد العائلة المالكة

الأوروبية والمسؤولين الذين زارهم برفقة زوجته الشركسية، تيريزا سامبسونيا، مرتدياً الزيّ الأرستقراطي الصفوي. فقد كان بمثابة قائمة عرضٍ متنقلة لأفضل أنواع الحرير الصفوي التي يمكن أن تنتجها الورش الإيرانية.

وتعكس البورتريهات المزدوجة التي كلف شيرلي أنطوني فان دايك برسمها أثناء زيارته للبابا في روما في فترة سفارته الثانية غنى هذه الملابس، ولا سيما رداء السير روبرت (البالابوش) المصنوع من أغلى المنسوجات الحريرية المطرزة بالذهب، والتي عادة ما تختصّ بها النخبة الصفوية.[٣٠] ولا شك أن هذا النسيج بنمطه التصويري الفخم قد جذب فان دايك بشدّة، فقد سرد الرسام ميزاته في دفتر الرسم الخاص به.

بالإضافة إلى كل ما سبق، وصلت السلع الحريرية الصفوية الفاخرة إلى الأسواق العالمية على شكل سجاد[٣١]. وكان أثمنها السجادات التي تتألف من حبكات سداة ولحمة حريرية، وفي بعض الأحيان، تطريز من الخيوط المغلفة بالمعدن، كما هو الحال فيما يسمى بالسجاد "البولندي"، الذي راج في أوساط النخب البولندية.[٣٢] شجعت زيادة الطلب على السجاد في أوروبا بين القرنين العاشر والحادي عشر الهجريين/السادس عشر والسابع عشر الميلاديين الحرفيين والتجار الإيرانيين على وضع استراتيجيات لتحسين الإنتاج. ولتسريع العمل، قدّم نساجو السجاد حبكة السداة واللُّحمة القطنية لتقليل عدد العقد لكل وحدة مربعة، في حين طوّر المصممون أنماطاً زهرية جريئة ولكن مبسطة تغلبت في النهاية على شعبية السجاد العثماني الذي ما كان ينازعه أحد في المنازل الأوروبية. ويبدو أن هذا الجهد كان جماعياً اجتمع فيه الحرفيون والتجار الإيرانيون بشكلٍ نشطٍ وفاعل، مبدين الاستعداد لاقتراح حلول مبتكرة والتكيف مع طلبات عملائهم الدوليين.[٣٣] يمكن أن تكون التعديلات نفسها قد حدثت على صعيد الحرير الإيراني، على الرغم من صعوبة إثبات ذلك، بسبب ندرة الأمثلة الناجية، ونقص التحليل الفني والهيكلي التفصيلي للمنسوجات الصفوية.[٣٤]

في حين أن أعداد السجادات الصفوية التي صمدت أمام الزمن لا تزال كبيرة نسبياً اليوم، ما يوفر فهماً أفضل لحجم التجارة ويقدّم مجموعة مفيدة من العينات للدراسة، فإن الحرير أكثر هشاشة وعرضة للاهتراء في حال تم ارتداء هذه المنسوجات. ولربما عدّل أصحابها عليها بعد ارتدائها أو تخلصوا منها لتغيّر الذوق والموضة. وفي حالاتٍ أخرى، تم التبرع بالمنسوجات للمؤسسات والمزارات الدينية كنوعٍ من أعمال البر والتقوى، ممّا حماها من التداول على نطاق أوسع. وما سلِم منها حتى اليوم في المجموعات العامة والخاصة لا يزال يقدم صورة ساحرة لجمال هذه الحرائر ورقيها، على الرغم من تشظيها.

لقد اتّبع الشاه عباس استراتيجية معقدة تجمع ما بين العمل السياسي وإعادة الهيكلة الاقتصادية والرعاية الفنية، فبنى أساساً متيناً سمح للدولة الصفوية بالازدهار لمئة عام أخرى بعد وفاته. وقد ترك بصمة أبدية في تاريخ

إيران والعالم أيضاً. جهد الشاه لتطبيق رؤيته السياسية العظمى، وسعى إلى موازنة الجهد ما بين شنّ الحروب، وتنمية التجارة، والإشراف على الأعمال الهندسية وتجاوز دسائس البلاط ومؤامراته، فكان أشبه بالسائر على حبلٍ معلّق. إلا أنه كان حبلاً من الحرير.

١ كما وردت في كتاب رونالد و. فيريير، An English View of Persian Trade in 1618: Reports from the Merchants Edward Pettus and Thomas Barker، مجلة التاريخ الاقتصادي والاجتماعي للشرق، ١٩/٣ (١٩٧٦) ص. ١٩٤. انظر أيضاً المصادر حول طريقة الشاه عباس في إدارة شؤون الدولة، والشؤون الدبلوماسية، والقضاء في مذكرات مؤرخ البلاط في كتاب اسكندر مُنشي، History of Shah ʿAbbas I the Great، ترجمة روجر م. سافوري. منشورات شركة بولدر: مازدا، ١٩٧٨، المجلد الأول، ص. ٥١٧–٥١٨، ٥٢٣–٥٢٤، ٥٢٧–٥٢٨، و٥٣٣.

٢ انظر أيضاً تعليقات الرحالة والكاتب الإيطالي بييترو ديلا فالي الذي التقى بالشاه عباس في صيف ١٦١٨ م في روزماري فيرجينيا لي، The Muslim Counter-Reformation Prince? Pietro della Valle on Shah ʿAbbas I، كاليفورنيا للدراسات الإيطالية ٦/٢ (٢٠١٦)، منشور على الإنترنت، https://escholarship.org/uc/item/5zn8t65v (اطّلع عليها في ٨ يوليو ٢٠٢٣).

٣ سوزان بابايي، كاثرين بابايان، إينا باغديانتز-مكابي، ومعصومة فرهاد، Slaves of the Shah: New Elites of Safavid Iran، لندن: أي. ب. توريس، ٢٠٠٤، ص. ٢٢–٤٨؛ و ماساشي هانيدا، L'évolution de la garde royale des Safavides، الشرق الأوسط والمحيط الهندي ١ (١٩٨٤)، ص. ٤١–٦٤.

٤ انظر كاثرين بابايان، The Safavid Synthesis: From Qizilbash Islam to Imamite Shiʿism، الدراسات الإيرانية ٢٧/١ (١٩٩٤)، ص. ١٣٥–١٦١.

٥ انظر سوزان بابايي، Isfahan and its Palaces: Statecraft, Shiʿism and the Architecture of Conviviality in Early Modern Iran. ادنبره: مطبعة جامعة ادنبره، ٢٠٠٥، خصوصاً. ص. ٣٠–٦٤؛ انظر أيضاً ماتشيسني، روبرت، Four sources on Shah ʿAbbas's Building of Isfahan، مقرنص ٥ (١٩٨٨)، ص. ١٠٣–١٣٤.

٦ حول التخطيط الحضري وتطور العمارة الفخمة في أصفهان الصفوية، انظر بابايي، Isfahan and Its Palaces، خاصة ص. ٦٥–١١٢. حول الشاه عباس وتحول أصفهان إلى العاصمة الإمبراطورية الصفوية، انظر أيضاً أنطوني ويلش، Shah ʿAbbas and the Arts of Isfahan. نيويورك: منظمة آسيا سوسايتي، ١٩٧٣، ص. ١٧–٢١؛ و شيلا ر. كانبي، Shah ʿAbbas. The Remaking of Iran. لندن: مطبعة المتحف البريطاني، ٢٠٠٩، ص.٢٢–٣٧.

٧ رودي ب. ماثي، The Politics of Trade in Safavid Iran: Silk for Silver, 1600–1730. كامبريدج: مطبعة جامعة كامبريدج، ١٩٩٩، ص. ٤.

٨ تم الاستشهاد بملاحظات الجغرافيين العرب منذ القرن الرابع الهجري/العاشر الميلادي في ليندا ك. ستاينمان، Sericulture and Silk: Production, Trade and Export Under Shah ʿAbbas، في *Woven from the Soul, Spun from the Heart: Textile Arts of Safavid and Qajar Iran, 16th–19th Centuries*، تحرير كارول بيير، واشنطن العاصمة: متحف النسيج، ١٩٨٧، ص. ١٢.

٩ انظر و. إيلرز، م. بازين، وك. برومبرجر، د. طومبسون، Abrīšam في *Encyclopædia Iranica*، المجلد الأول، المجموعة ٣، ص. ٢٢٩–٢٤٧؛ المُدخل المحدّث منشور على الإنترنت https://www.iranicaonline.org/articles/abrisam-silk-index (اطّلع عليها في ٨ يوليو ٢٠٢٣).

١٠ انظر فاهان بابازيان، Protection of Trade Routes in the 17th Century Safavid State، في *Les Arméniens dans le commerce asiatique au début de l ère moderne*، تحرير سوشيل تشودري وكرام كيفونيان. باريس: Éditions de la Maison des sciences de l'homme، ٢٠٠٧، ص. ٢٥٣–٢٥٨.

١١ إينا باغديانتز-مكابي، Caucasian Elites and Early Modern State-Building in Safavid Iran، *Les Arméniens dans le commerce asiatique*، تحرير تشودري وكيفونيان، ص. ٩١–١٠٢.

١٢ انظر إينا باغديانتز-مكابي، *The Shah's Silk for Europe's Silver: The Eurasian Trade of the Julfa Armenians in Safavid Iran and India (1530–1750)*. فيلادلفيا: جامعة بنسلفانيا، ١٩٩٩، خصوصاً ص. ٣٥–١١٤ و١٥٧–١٧٠؛ انظر أيضاً رودي ب. ماثي، *The Politics of Trade in Safavid Iran*، ص. ٨٤–٨٩.

١٣ ليندا ك. ستاينمان، Shah ʿAbbas and the Royal Silk Trade 1599–1629، نشرة الجمعية البريطانية لدراسات الشرق الأوسط ١٤/١ (١٩٨٧)، ص. ٦٨–٧٤.

١٤ انظر مويا كاري، *Meeting in Isfahan: Vision and Exchange in Safavid Iran*. دبلن: مكتبة تشيستر بيتي، ٢٠٢٢، ص. ١٢٤–١٥٢.

١٥ انظر رودي ب. ماثي، *The Politics of Trade in Safavid Iran*، ص. ٧٤–٨٤؛ وويليم فلور، وباتريك كلاوسون، Safavid Iran's Search for Silver and Gold، المجلة الدولية لدراسات الشرق الأوسط، ٣٢/٣ (٢٠٠٠)، ص. ٣٤٥–٣٦٨.

١٦ انظر إدموند م. هيرزيج، The Volume of Iranian Raw Silk Exports in the Safavid Period، الدراسات الإيرانية ٢٥/١–٢ (١٩٩٢)، The Carpets and Textiles of Iran: New Perspectives in Research، ص. ٦١–٧٩؛ ورودي ب. ماثي، *The Politics of Trade in Safavid Iran*، ص. ٣٦–٣٨.

١٧ انظر رودي ب. ماثي، Anti-Ottoman Politics and Transit Rights: The Seventeenth-Century Trade in Silk between Safavid Iran and Muscovy، دفاتر العالم الروسي، ٣٥/٤ (١٩٩٤)، ص. ٧٣٩–٧٦١.

١٨ أما بالنسبة لوجود البرتغاليين في الخليج، انظر جواو تيليس وكونها، The Portuguese Presence in the Persian Gulf، في *The Persian Gulf History* حرره لورانس ج. بوتر، نيويورك: بالجريف ماكميلان، ٢٠٠٩، ص. ٢٠٧–٢٣٤. للحصول على نظرة تاريخية أوسع، راجع ويليم فلور، *The Persian Gulf: A Political and Economic History of Five Port Cities 1500–1730*. واشنطن العاصمة: ماج، ٢٠٠٦. في المجلد العاشر من مذكرات أسفاره في القرن السابع عشر، يصف الرحالة وصائغ المجوهرات جان شاردان الوضع السياسي المعقد لمنطقة الخليج والدور الذي لعبه البرتغاليون والبريطانيون والهولنديون في الخليج والمحيط الهندي. انظر جان باتيست شاردان، *Voyages de Mr. le Chevalier Chardin, en Perse, et autres lieux de l'Orient*. أمستردام: لدى جان لوي دو لورم، ١٧١١، المجلد ١٠، خاصة ص. ٩٤–١٠٤ و١١٦–١٣٤. حول المشاركة البريطانية والهولندية المباشرة في اقتصاد تجارة الحرير الصفوي خلال حكم الشاه عباس، انظر رودي ب. ماثي، *The Politics of Trade in Safavid Iran*، ص. ٩١–١١٨؛ بيتر ريتبرجن، Upon a silk thread? Relations between the Safavid court of Persia and the Dutch East Indies Company, 1623–1722، في *Hof en handel: Aziatische vorsten en de VOC, 1620–1720*، تحرير إلزبيث لوخر شولتن. ليدن: بريل، ٢٠٠٤، ص. ١٥٩–١٨٢؛ دانيال رزاري، Through the Backdoor: An Overview of the English East India Company's Rise and Fall in Safavid Iran, 1616–40' الدراسات الإيرانية ٥٢/٣–٤ (٢٠١٩)، ص. ٤٨٥–٥١١؛ وويليم فلور، Commercial Relations between Safavid Persia and Western Europe, في *Safavid Persia in the Age of Empires* تحرير تشارلز ملفيل. لندن: أي. ب. توريس، ٢٠٢١، ص. ٢٦٧–٢٨٧.

١٩ انظر باغديانتز-مكابي، *The Shah's Silk for Europe's Silver*، ص. ١١٤–١٤٠، وص. ٢٤١–٢٧٠؛ بابايي وآخرون، *Slaves of the Shah*، ص. ٤٩–٧٩؛ رونالد و. فيريير، The Armenians and the East India Company in Persia in the Seventeenth and Early Eighteenth Century، مجلة التاريخ الاقتصادي، السلسلة الثانية، ٢٦/١ (١٩٧٣)، ص. ٣٨–٦٢.

٢٠ انظر أحمد جولييف، *Safavids in Venetian and European Sources*، هلال الدراسات التركية والعثمانية ٩. البندقية: منشورات كا فوسكاري، ٢٠٢٢، ص. ٦١–٧٠، وجولييف، Giving What They Hold Dear: Safavid Diplomatic Gifts to Venice، دبلوماسية ١/٥ (٢٠٢٣)، ص. ٢٤–٤٥. شكّل الحرير أيضاً إتاوة تُدفع ضمن تعويضات الحرب، بل إنه أدى في بعض الأحيان إلى إشعال اقتتالات جديدة، كما حصل عندما رفض الشاه عباس أن يدفع للعثمانيين مبلغ ٢٠٠ بالة من الحرير الخام بعد معاهدة نصوح باشا للسلام (١٠٢١ هـ/١٦١٢ م). في هذه المناسبة، طلب العثمانيون قدراً كبيراً من الحرير للتعويض عن أراضيهم المفقودة بعد انتصار الصفويين. أحجم الشاه عباس عن دفع المبلغ، مما أدى إلى وقوع اقتتالات جديدة حتى تم التوقيع على معاهدة سلام أخرى في عام ١٠٢٧ هـ (١٦١٨ م) وطلب دفع مبلغ جديد من الحرير. انظر زينب حاتم زاده، Foreign Policy of the Safavid Empire During Shah ʿAbbas I، مجلة علوم الحياة ١٠/٨ (٢٠١٣)، ص. ٤٠٥–٤٠٧. انظر أيضاً معصومة فرهاد، و ماريانا شريف سيمبسون، Safavid Arts and Diplomacy in the Age of the Renaissance and Reformation في *A Companion to Islamic Art and Architecture*، تحرير فينبار باري فلود، وجولرو نيسيبوغلو. هوبوكين، نيوجيرسي: شركة جون وايلي وأبناؤه، ٢٠١٧، المجلد ٢، ص. ٩٣١–٩٧١.

٢١ ماريكا سردار، Silk Along the Seas: Ottoman Turkey and Safavid Iran in the Global Textile Trade، في: *Interwoven Globe: The Worldwide Textile Trade, 1500–1800*، تحرير اميليا بيك. نيو هافن: مطبعة جامعة ييل، ٢٠١٣، ص. ٧٤.

٢٢ انظر اللمحة العامة التي قدمتها سردار، Silk along the Seas؛ ووالتر ب. ديني، Textile Art and Artistic Commerce in Seventeenth-Century Iran، في *Bestowing Beauty: Masterpieces from Persian Lands – Selections from the Hossein Afshar Collection*، تحرير. إيمي فروم، نيو هيفن ولندن: مطبعة جامعة ييل، ٢٠٢٠، ص. ٣٤–٤١.

٢٣ انظر ليلى س. ديبا، Clothing In the Safavid and Qajar periods، في *Encyclopædia Iranica*، المجلد ٥، المجموعة ٨، ص. ٧٨٥–٨٠٨، المُدخل المحدّث منشور على الإنترنت، http://www.iranicaonline.org/articles/clothing-x (اطّلع عليها في ١١ يوليو ٢٠٢٣).

٢٤ نازانين هدايت مونرو، Donning the Cloak: Safavid Figural Silks and the Display of Identity، وقائع ندوة جمعية المنسوجات الأمريكية، ٢٠٠٨، منشورة على الإنترنت، https://digitalcommons.unl.edu/tsaconf/133 (اطّلع عليها في ١١ يوليو ٢٠٢٣).

٢٥ انظر مويا كاري، *Meeting in Isfahan*، ص. ٥٨–١٢٣.

٢٦ انظر جينيفر م. سكارس، Venture and Dress: Fashion, Function, and Impact في *Woven from the Soul, Spun from the Heart: Textile Arts of Safavid and Qajar Iran, 16th–19th Centuries*، تحرير. كارول بيير. واشنطن العاصمة: متحف النسيج، ١٩٨٧، خصوصاً، ص. ٣٣–٤٦؛ انظر أيضاً رودي ب. ماثي، Safavid Iran through the Eyes of European Travelers، *Harvard Library Bulletin*، نشرة مكتبة هارفارد ٢٣/١–٢ (٢٠١٢)، ص. ١٠–٢٤.

٢٧ انظر إميلي إ. س. جوردنكر، The Rhetoric of Dress in Seventeenth-Century Dutch and Flemish Portraiture، مجلة معرض والترز للفنون ٥٧ (١٩٩٩)، ص. ٨٧–١٠٤؛ وسوزان مخبري، *The Persian Mirror: Reflections of the Safavid Empire in Early Modern France*. أكسفورد: مطبعة جامعة أكسفورد، ٢٠١٩، ص. ٨٦–١١١.

٢٨ رونالد و. فيرير؛ The European Diplomacy of Shah ʿAbbas I and the First Persian Embassy to England، إيران ١١ (١٩٧٣)، ص. ٧٥–٩٢، بالإضافة إلى The Terms and Conditions under which English Trade was transacted with Ṣafavid Persia، نشرة مدرسة الدراسات الشرقية والأفريقية ٤٩/١ (١٩٨٦)، ص. ٤٨–٦٦.

٢٩ ماتيلد الأزرقي، The Influence of Powerful Eastern Women in England's Relationship with the East during the Early Modern Period (1570–1673)، وقائع مؤتمرات جمعية شكسبير الفرنسية، نُشر على الإنترنت في ٥ فبراير/شباط ٢٠٢٢، http://journals.openedition.org/shakespeare/6583 (اطّلع عليها في ٨ يوليو ٢٠٢٣).

٣٠ نازانين هدايت مونرو، *Sufi Lovers, Safavid Silks and Early Modern Identity*. أمستردام: مطبعة جامعة أمستردام، ٢٠٢٣، ص. ١٨٢–١٩٧.

٣١ كورت إردمان، *Seven Hundred Years of Oriental Carpets*، تحرير هانا اردمان وترجمة ماي هـ. بيتي وهيلدغارد هيرزوغ. لندن: فابر وفابر المحدودة، ١٩٧٩، الصفحات ١٧–٣٨، ٦١–٧٥، و١١٥–١١٨؛ بيير، *Woven from the Soul* ص. ١٠٧–١٢٠؛ جون طومبسون، Early Safavid Carpets and Textiles، في *Hunt for Paradise: Court Arts of Safavid Iran 1501–1576*، تحرير جون طومبسون وشيلا كانبي. ميلانو: سكيرا، ٢٠٠٣، ص. ٢٧١–٣١٧؛ مايكل فرانسيس، A Museum of Masterpieces: Safavid Carpets in the Museum of Islamic Art, Qatar، *Hali* ١٥٥ (ربيع ٢٠٠٨)، ص. ١–٣٧؛ ووالتر ب. ديني، Carpets, Textiles, and Trade in the Early Modern Islamic World في *A Companion to Islamic Art and Architecture*، تحرير فينبار باري فلود، وجولرو نيسيبوغلو. هوبوكين، نيوجيرسي: شركة جون وايلي وأبناؤه، ٢٠١٧، المجلد ٢، ص. ٩٧٢–٩٩٥.

٣٢ انظر فريدريش سبوهلر، *Seidene Repräsentationsteppiche der mittleren bis späten Safawidenzeit – Die sogenannten Polenteppiche*. أطروحة دكتوراه غير منشورة. الجامعة الحرة، برلين، ١٩٦٨.

٣٣ أوضحت جيسيكا هاليت هذه الظاهرة بالنسبة للسجاد الصفوي الموجه إلى السوق الأوروبية والمحفوظ الآن في البرتغال في محاضرتها عبر الإنترنت للمتحف الوطني للفنون الآسيوية، سميثسونيان، Fit for a Palace: The Craze for Safavid Carpets in Seventeenth-Century Europe، ١٥ مارس ٢٠٢٢.

٣٤ ويمكن التدليل على ذلك بالنسيج المعدني المصنوع في أصفهان خصيصاً للسوق التايلاندية، انظر بيير، *Woven from the Soul*، ص. ٢٢٨–٢٢٩.

معصومة فرهاد
وسومرو بلغير كرودي

نظرة عن قرب
أقمشة الخواجة سيف الدين محمود نقشبند

مهّد حكم عباس الأول (حكم بين ٩٩٨-١٠٣٨ هـ/١٥٨٩-١٦٢٩ م) لحقبة جديدة من تاريخ حياكة الحرير في إيران. فقد أحكم الشاه قبضة الدولة على عمليات الإنتاج والتوزيع، ومنح امتيازات تجارة الحرير عبر الطرق البرية للسكّان الأرمن في حيّ جلفا الجديدة، كما شجّع الهولنديين والبريطانيين والبرتغاليين على التنافس على تصدير الحرير الخام والمنسوجات الجاهزة عبر البحر.[١]

تنوّعت التقنيات والتصاميم آنذاك في ظلّ التنافس بين الفنانين والنساجين وورش العمل على الأسواق المحلية والدولية. فاستفاد الشاه عباس من تجارة الحرير من أجل تعزيز مكانة إيران في قلب التبادلات الفنية والاقتصادية الدولية. أمّا التطوّر الهائل الآخر الذي طبع تلك الحقبة فتمثّل بإضافة "التواقيع" إلى النسيج.[٢]

فقد "وقّع" سبعة فنّانين صفويين على الأقل أعمالهم،[٣] كاتبين أسماءهم بخطّ كوفي زاوي أو خطّ نستعليق انسيابي، بأسلوب حيك داخل القماش باستخدام تقنيات وزخرفات متنوّعة. ويعود المثال الأقدم لتوقيع النسيج إلى عام ١٠٠٨ هـ/١٥٩٩-١٦٠٠ م وقد حمل اسم "حسن"، ولكن انطلاقاً من الأسس الأسلوبية المعتمدة، تُعزى الأقمشة الموقّعة الأخرى إلى النصف الأول من القرن الحادي عشر الهجري/السابع عشر الميلادي على أقلّ تقدير.[٤]

ولعلّ أشهر الفنانين الصفويين الذين وقّعوا أعمالهم كان غياث الدين علي نقشبند، المتحدر من مدينة يزد الإيرانية.[٥] فيروي المؤرّخ محمد مفيد أن غياث كان نساجاً ماهراً وشاعراً ذائع الصيت ورفيقاً مقرّباً من الشاه عباس الأول، وله قريب يُدعى الخواجة سيف الدين محمود نقشبند، كان هو الآخر نساجاً بارعاً.[٦] وبحسب روبرت سكيلتون، فإن سيف الدين محمود هو نفسه سيفي عباسي الذي يظهر اسمه على العديد من الأعمال النسيجية.[٧]

يقول محمد مفيد إنه "على صعيد تعدّد المواهب والمهارات والإبداع، فإن (سيفي) كان فريداً في زمانه واستثنائياً في عصره، فما كان له نظير ولا مثيل على مستوى إيجاد الحلول والخبرة وحرفية التصميم"، حتى أن الشاه صفي (حكم بين ١٠٣٨-١٠٥٢ هـ/١٦٢٩-١٦٤٢ م) أهداه رداء شرف (خلعة) تكريماً لبراعته. ومثل غياث، كان سيفي عباسي متديناً ورعاً، سكن في النجف لفترة، وجمع ثروةً طائلة أنفقها على بناء حدائق مذهلة في يزد.

ولعلّ أروع أعمال سيفي تتمثّل بقطعة مخملية تصوّر ثلاثة أزواج من النساء يتمايلن برشاقة (الرسم ١)،[٨] وتظهر فوق رأسيّ الزوجين في الوسط عبارة "أعمال سيفي" بخطّ يكاد يكون غير مرئي، نُسج في الأصل بخيط حرير أسود تآكل مع الزمن.[٩] وحتى في حالتها الحالية، فإن التواقيع المائلة المكتوبة بخطّ النستعليق تبدو بارزة أكثر من المعتاد وتكاد ترقى لأن تكون زخرفة بحدّ ذاتها.

يثبت قماش موقّع من ضريح الإمام علي في النجف ارتباط الفنان بالبلاط الصفوي (الرسم ٢). توصف هذه القطعة على أنها جزء من غطاء للضريح صُنع من نسيج مركّب حريري ذي أرضية فضية مع تصميم قوطي متداخل داكن.

الرسم ١

تفصيل من قماش مصنوع من المخمل الحريري يظهر فيه توقيع سيفي عباسي فوق رأس المرأتين. إيران، الحقبة الصفوية، منتصف القرن الحادي عشر الهجري/ منتصف القرن السابع عشر الميلادي، مخمل حريري مقصّب بخيوط معدنية، ٥٧ × ١٩٧ سم. متحف الفنّ الإسلامي، الدوحة، TE.1.1997

الرسم ٢

تفصيل من قماش حريري لسيفي عباسي يحمل توقيعه الظاهر داخل الزهرة المركزية. كتالوج ٣، MIA.2014.530

وتحمل كلّ وحدة زوجاً من التواقيع بخطّ النستعليق عليها عبارة "أعمال سيفي عباسي". وعلى الأرجح، كُرِّم سيفي بلقب "عباسي" من قبل عباس الأول أو حفيده عباس الثاني (حكم بين ١٠٥٢–١٠٧٧ هـ/١٦٤٢–١٦٦٦ م)، ما يؤكّد على علاقة الفنان الوطيدة بالبلاط[١٠].

وكان قد عُثر مؤخراً على نسيج مصنوع من مركّب حريري يحمل توقيع سيفي ضمن مجموعة متحف الفن الإسلامي في الدوحة (انظر كتالوج ٣ ص. ٥٠)[١١]. صُمّمت هذه القطعة على شكل صفوف متعاقبة ومتكررة من باقات زهر يحركها النسيم.[١٢] وعلى الرغم من بساطة التصميم نسبياً، إلا أن تنسيقه يستحضر حسّاً بالحركة نادراً ما يظهر في النماذج الأخرى من الأقمشة الصفوية. حتى أن الألوان التي بهتت في بعض أنحاء النسيج تشي بالحرفية التقنية الباهرة التي سنتحدث عنها لاحقاً. هنا، يختلف توقيع سيفي عن النماذج الأخرى، إذ وُضعت عبارة "أعمال سيفي" بعناية في قلب إحدى الأزهار المتفتّحة وكأنها جزء من التصميم (الرسم ٢).

في النماذج الثلاثة، يضيف سيفي كلمة "عمل" إلى توقيعه، ولا يزال من غير الواضح ما إذا كانت هذه الكلمة تشير إلى فعل تحويل زخرفة واحدة إلى نمط متكرر أو إلى عمل النقشبند الذي يبتكر التصميم للنسّاج أو إلى الفعلين معاً.[١٣] حتى أن الكلمة ربما تشير إلى المسؤول عن ورشة العمل ككلّ.[١٤]

يؤكّد لقب الخواجة سيف الدين وأعماله المحفوظة على مكانته كواحد من عظماء مصمّمي الأنسجة الصفويين. فقد سار على خطى فنانين آخرين، بينهم غياث، بحيث لم تقتصر الغاية من تواقيعه على إبراز براعته الفنية والتقنية، لا بل ربما أسهمت أيضاً في زيادة قيمة أنسجته والإقبال عليها في ظلّ الأجواء التنافسية آنذاك.

يكفي إلقاء نظرة سريعة على خصائص قطعة النسيج المحفوظة في المتحف بالدوحة لتبيان مدى تطور تقنية الإنتاج وبراعة الحرفيين الذين أنجزوها.[١٥] ففي حين أُعدّت الطبعة الأصلية على الورق على شكل زخرفة واحدة (شجيرة مزهرة في هذه الحالة)، إلا أن تحويل تلك الزخرفة إلى نسيج تتطلّب عملية متعدّدة المراحل شارك فيها حرفيون يتقنون كافة الجوانب التقنية والميكانيكية والهندسية لعملية نسج الأقمشة. أمّا الشخص المسؤول عن تحويل هذه الزخرفة الواحدة إلى نمط، ثمّ تصميم الوحدة المتكررة من النمط (الرسم ٣)، فكان يُعرف بالنقشبند[١٦][١٧]، وهو المُكلّف بإنجاز المهمّة الأساسية المتمثلة بتصميم النقش وابتكاره.

الرسم ٣
تفصيل من قماش حريري لسيفي عباسي تظهر فيها الوحدة المتكررة من النمط، الكتالوج ٣، MIA.2014.53

كان النقشبند الناجح ضليعاً بتعقيدات بنية النسيج وخبيراً بالأنماط التي تتماشى مع الأنواع المختلفة من الأقمشة وبهندسة الأنماط. فكان قادراً على تصميم نمط يسحر العين، فيما يخفي قدر الإمكان تكرار الزخرفة نفسها على امتداد النسيج. وكان مصمّمو النسيج الصفويون ميّالين إلى تكرار النمط في الاتجاه نفسه على مدى عرض قطعة القماش، ولكن يبدّلون في الاتجاه على امتداد الطول (انظر كتالوج ٣ مجدداً). ويُعزى الفضل في نجاح النمط في هذه القطعة إلى عاملين، الأوّل التركيبة الداخلية للنمط التي تؤشّر إلى الحركة والتمايل في الهواء (ما يبرز مهارات المصمّم)، والثاني الطابع المستتر جيداً للنمط (ما يبرز مهارات النقشبند).

تقوم مهمّة النقشبند التالية على وضع النمط ضمن وحدة مستقيمة، تُعرف بوحدة التكرار التقني.[١٨] ففي تركيبة قطعة النسيج الأنيقة هذه، مزج النقشبند بين وحدتيّ النمط على امتداد محور عمودي من أجل صنع وحدة التكرار التقني[١٩]. إذاً لا بدّ أن آلة النول التي استُخدمت لحياكة هذه القطعة كانت عالية التطوّر،[٢٠] فقد شكّل تزويدها بالمئات من خيوط السداة الجزء الأهم من عملية إنتاج مثل هذه الأنماط المعقدة، كما أنّه الجزء الأكثر استهلاكاً للوقت. وقد وقع على عاتق النقشبند ترجمة وحدة التكرار التقني إلى نموذج ملموس على نطاق أصغر (النقش)، بطريقة تجمع خيوط السداة معاً ضمن ترتيب محدّد، بما يتيح لمساعد النسّاج سحب حبل واحد من النقش حتى يرفع المجموعة الكاملة من خيوط السداة المختارة.[٢١]

أحدثت المواد المستخدمة في النسيج كلّ الفرق في طريقة تصوّر التصميم، فقد صُنعت الخلفية والكثير من تفاصيل هذه القطعة من خيوط الحرير الملفوفة بالمعدن لتُستخدم كلحمات. ويتألف هذا الغزل من رقائق معدنية ملفوفة على شكل S حول خيط حريري أبيض.[٢٢] وهي مثبتة من الأمام عبر حبكة تويل ١/٤ باتجاه S (الرسم ٤)، فيما تتألف بقية اللحمات من خيوط حريرية غير ملتوية. تعوم اللحمات الملوّنة على سطح النسيج مبرزةً تفاصيل ومناطق صلبة ذات ألوان ساطعة. وتترافق بعض الخيوط الملوّنة مع خيوط ملفوفة بالمعدن تمنح النسيج لمعةً خفيفةً (انظر إلى الرسم ٤ مجدداً). ومن أجل ابتكار تفاصيل التصميم، تم الدفع بأحد الألوان المحدّدة من خيوط اللحمة إلى مقدّمة النسيج، فيما أُحكم شدّ بقية الخيوط الملونة إلى الخلف بواسطة حبكة تويل ١/٤ (الرسم ٥).[٢٣] يمكن الاستنتاج من بنية النسيج أن كلاً من النقشبند والنسّاج عملا معاً من أجل تطوير طريقة تجعل النسيج ناعماً وخفيف الوزن، وهو ما نجحا في تحقيقه من خلال تناوب عدد خيوط اللحمة الحريرية في كلّ عملية تمرير للحمة لصنع النمط المرجوّ. ويظهر ذلك جلياً من خلال التموجات اللونية الظاهرة على الجهة الخلفية من النسيج (الرسم ٨).

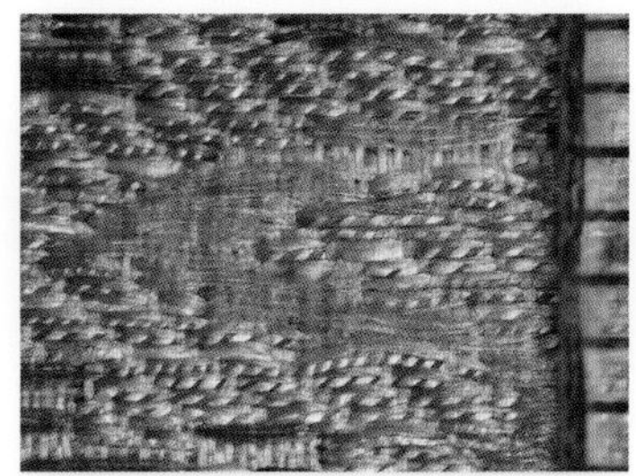

الرسم ٤

تفصيل من قماش حريري لسيفي عباسي تظهر فيه خيوط لحمة ملفوفة بالمعدن وأخرى حريرية مثبتة بحبكة تويل ٤/١. الكتالوج ٣، MIA.2014.53

الرسم ٥

تبيّن الجهة الخلفية للنسيج كيف أن خيوط اللحمة غير المحاكة من الأمام مُحكمة من الخلف. كتالوج ٣، MIA.2014.53

١ انظر مقال نيكوليتا فازيو في هذا الكتاب. للاطلاع على أهمية الحرير الصفوي، انظر رودولف ب. ماثي، *The Politics of Trade in Safavid Iran. Silk for Silver 1600–1730*. كامبريدج: مطبعة جامعة كامبردج، ١٩٩٩.

٢ للاطلاع على نقاش حديث حول الرسومات على الحرير والتواقيع، انظر نزانين هيدايات مونروي، *Sufi Lovers, Safavid Silks and Early Modern Identity*، أمستردام: مكتبة جامعة أمستردام، ٢٠٢٣.

٣ لويز م. ماكي، *Symbols of Power: Luxury Textiles from the Islamic Lands 7th–21st Century*. نيو هيفن ولندن: متحف كليفلاند للفنون ومطبعة جامعة ييل، ص. ٣٦٠. وفق ماكي، فإن توقيع الأعمال الفنية كان شائعاً في الأصل لدى الرسامين الصفويين في تلك الحقبة. للاطلاع على المزيد حول الأعمال النسيجية الموقّعة، انظر *Woven from the Soul, Spun from the Heart: Textile Arts of Safavid and Qajar Iran, 16th–19th Centuries*، تحرير كارول بيير، واشنطن العاصمة: متحف النسيج، ١٩٨٧، القطع رقم ٢٢، ٢٥، ٢٧.

٤ نيويورك، متحف ميتروبوليتان للفنّ، 06.1197.2، https://www.metmuseum.org/art/collection/search/444977

٥ أشير إلى مهام النقاش أدناه.

٦ محمد مفيد موسطوفي بن نجم الدين بافقي يزدي، *Jamiʿ Mufidi*، تحرير إرادج أفسهار. طهران: Kitabfurushi-ye Asadi، 1960–61، ص. ٤٩٤. كما ورد في روبرت سكيلتون، Giyath al-Din ʿAli-yi Naqshband and an Episode in the Life of Sadiqi Beg في *Persian Painting, From the Mongols to the Qajars: Studies in Honour of Basil W. Robinson*، تحرير روبرت هيليتبراند. لندن ونيويورك: أي. ب. توريس، ٢٠٠٠، ص. ٢٥٢ والملحق ف، ص. ٢٦١.

٧ سكيلتون، Giyath al-Din ʿAli-yi Naqshband، ص. ٢٥٢. للاطلاع على ترجمة للمقطع الكامل، انظر إلى الملحق ف، ص. ٢٦١.

٨ ماري ماك ويليلمز، Three Figurative Velvets from Safavid Iran، *Hadeeth ad-Dar* ١٤ (٢٠٠٣)، ص. ٢٢–٢٧؛ وجون طومبسون، *Silk*، الدوحة: المجلس الوطني للثقافة والفنون والتراث، ٢٠٠٤، رقم ٨. بحسب الكاتبين، فإن قطعة النسيج المخملية، إلى جانب أخرى مشابهة في متحف أونتاريو الملكي (926.601.1) كانتا جزءاً من المجموعة الملكية في جايبور، وقد أضفي عليهما طابع هندي، من خلال إضافة أقراط على أنوف النساء، وتحويل زجاجات وكؤوس النبيذ إلى مزهريات. قد تكون طريقة الوقوف والسترة القصيرة قد استلهمتا من أوروبا، إلا أن الرسم يستحضر أيضاً صورة امرأة لمعين المصوّر موجودة حالياً ضمن مجموعة ناصر خليلي، انظر إليانور سيمز مع مساهمات من مانيجي بياني وتيم ستانلي، *The Tale and the Image: History and Epic Paintings from Iran and Turkey*. لندن: مؤسسة نور بالتعاون مع مطبعة أزيموث، ٢٠٢٣، رقم ٤٤،٢.

٩ يُقرأ الاسم "سيفي" أو "شيفي"، انظر *Symbols of Power*، ص. ٣٦٧، ملاحظة ٨٨ مع مراجع. يشير السنّ الإضافي في حرف السين إلى وجود حرف آخر، هو حرف الـ"ي" على الأرجح بدون النقطتين تحته.

١٠ محمد أغا-أوغلو، *Safawid Rugs and Textiles: The Collection of the Shrine of Imām ʿAlī at al-Najaf*. نيويورك: مطبعة جامعة كولومبيا، ١٩٤١، رقم XII، ص. ٣٤–٣٥. ربما كان النسيج هدية ملكية أو ربما تبرعاً شخصياً من قبل سيفي بما أنه عاش لفترة في النجف (سكيلتون، Giyath al-Din ʿAli-yi Naqshband، ص. ٢٥٢ و٢٦١). يستحضر التصميم بشكل عام، إلى جانب التوقيع بخطّ النستعليق قطعة نسيج مخملية أخرى موقّعة من غياث. للاطلاع على القطعة، انظر https://www.metmuseum.org/art/collection/search/451093

١١ أتقدم بالشكر إلى سومرو كرودي للفتها نظري إلى مسألة التواقيع، ولتعاونها معي على إعداد هذه المقالة.

١٢ تستحضر الزهور المرسومة بأسلوب انسيابي أعمال الرسام الصفوي البارز سيفي عباسي الذي تخصّص برسم الأزهار، منها لوحة لزهور البنفسج تعود إلى عام ١٠٥٤ هـ/١٦٤٣ م (المتحف البريطاني 1988,0423,0.1.44). انظر أيضاً شيلا ر. كانبي، Pounces for Textiles or Pounces for Pictures? في *Safavid Art and Architecture*. لندن: مطبعة المتحف البريطاني، ٢٠٠٢، الرسم ١٢،٣.

١٣ كانبي، Pounces for Textiles، الرسم ١٢،٣، مونرو، *Sufi Lovers*، ص. ٣٢– ٤١.

١٤ الشكر الجزيل لآنا جولي لاقتراحها هذا التفسير.

١٥ انظر آنا بولار روي، After Emery: Further Considerations of Fabric Classification and Terminology'، *Textile Museum Journal* (١٩٨٤) ٢٣، ص. ٥٣–٧١، للاطلاع على نقاش حول الفروقات بين بنيات الأقمشة والتقنيات المستخدمة فيها. انظر أيضاً جون بيكر، *Pattern and Loom: A Practical Study of the Development of Weaving Techniques in China, Western Asia and Europe*، كوبنهاغن: دار نشر رودوس انترناشونال بابليشرز، ١٩٨٧، ص. ٢٥٣–٢٩٤، دوروثي بورنهام، *Warp and Weft: A Dictionary of Textile Terms*. نيويورك: أبناء شارلز سكريبنر، ١٩٨٠، ص. ٤٨–٥٠، وكجيلد فون فولساش وآن-ماري بيرنستيد، *Woven Treasures: Textiles from the World of Islam*. كوبنهاغن: مجموعة ديفيد، ١٩٩٣، ص. ٦٥– ٦٨. للاطلاع على وصف لآلة النول المشط وكيفية عملها، انظر هانس إي. وولف، *The Traditional Crafts of Persia: Their Development, Technology, and Influence on Eastern and Western Civilizations*. كامبردج: مطبعة معهد ماساتشوستس للتكنولوجيا، ١٩٦٦، ص. ١٩٩– ٢١١ و٢٠٥– ٢٠٩.

١٦ كان بعض المصمّمين الذين ابتكروا الزخرفة الأصلية على الورق ضليعين بما يكفي بالنسيج من أجل تحويل تلك الزخرفة إلى تصميم نسيجي. ويُعتقد أن غياث كان أحد أولئك الفنانين متعدّدي المواهب الذين تمكّنوا من بناء الجسور ما بين الورق والنسيج. انظر سكيلتون، Ghiyath al-Din ʿAli-yi Naqshband، ص. ٢٤٩– ٢٦١، فيليس أكيرمان، Ghiyath, Persian Master Weaver'، *Apollo* (١٩٣٣) ١٨/١٠٦، ص. ١–٥، وفيليس أكيرمان، A Biography of Ghiyath the Weaver'، *Bulletin of the American Institute for Persian Art and Archaeology*، ٣/٧ (١٩٣٤)، ص. ٩–١٣.

١٧ بدت الزخرفة على الورق مختلفةً عمّا أصبحت عليه لدى تحويلها إلى الوحدة المتكررة من النمط. للمزيد من التفسير المفصّل حول هذه العملية، انظر ميلتون سونداي، Pattern and Weaves: Safavid Lampas and Velvet في *Woven from the Soul, Spun from the Heart: Textile Arts of Safavid and Qajar Iran* {*16th–19th Centuries*}، تحرير كارول بيير، واشنطن العاصمة: متحف النسيج، ١٩٨٧، ص. ٥٧–٨٣.

١٨ يشار إليها باسم وحدة التكرار التقني وهي تختلف عن الزخرفة الواحدة الأصلية، وعن الوحدة المتكررة للنمط. للاطلاع على تفسير مفصّل أكثر حول وحدة التكرار التقني، بالإضافة إلى أنظمة التكرار المستقيمة وأنظمة التكرار الموجّهة، انظر سونداي، Pattern and Weaves، ص. ٥٧–٨٣.

١٩ يعطي هذا الترتيب طابعاً مائلاً للنمط. يبلغ قياس وحدة التكرار التقني للتكرار المستقيم ١٩ × ٢٠ سم، وتحتضن نمطين في داخلها، أحدهما صورة عكسية للآخر، والواحد فوق الآخر. وتمتد أربع تكرارات تقنية على عرض قطعة النسيج.

٢٠ كان لديها على الأرجح نظاميّ تشغيل مختلفين ومستقلين، واحد من أجل حبك النسيج والآخر من أجل ابتكار النمط. يظهر نظاما التشغيل بوضوح

على شكل آليتين منفصلتين، تُعرفان بالدرأتين وتتصلان بالنول. وعادة ما يشار إلى الدرأتين بدرأة بنية النسيج التي تصنع النسيج ودرأة النمط التي تنتج النمط المتكرر على سطح النسيج. للاطلاع على تحليل أكثر تفصيلاً حول هذا النوع من آلات النول المعروفة بنول المشط، انظر بيكر، *Pattern and Loom*، ص. ٢٥٣–٢٩٤، بورنها، *Warp and Weft*، ص. ٤٨–٥٠، فولساش وبيرنستيد، *Woven Treasures*، ص. ٦٥–٦٨، راهول جاين، The Indian Drawloom and its Products، دورية متحف النسيج ٣٢–٣٣ (١٩٩٤) ص. ٥٠–٨١، وولف، *The Traditional Crafts of Persia* ص. ١٩٩–٢١١ و٢٠٥–٢٠٩.

٢١ تشير السداة إلى الخيوط المشدودة إلى النول، فيما تشير اللحمة إلى الخيوط المتداخلة أفقياً عبر خيوط السداة. للمزيد من التفاصيل حول التركيبات المحتملة للأنوال، انظر جاين، The Indian Drawloom and its Products ص. ٥٤–٥٧.

٢٢ انظر جاين، The Indian Drawloom and Its Products، ص. ٥٩–٦٠، للفرق بين الخيوط الملفوفة بالمعدن الصفوية والمغولية وكيف يمكن استخدامها للتمييز بين هذين التقليديين في النسيج.

٢٣ يكمن الفارق الأبرز في حبكة التويل لخيوط اللحمة الملونة في الجهة الأمامية والخلفية لقطعة النسيج عوض أن تعوم خيوط اللحمة في الخلف، وهي الممارسة الأكثر شيوعاً في الأنسجة الصفوية ذات الأرضية المعدنية. انظر أيضاً سيلفيا هوغهتيلينغ، *The Art of Cloth in Mughal India*. برينستون: جامعة برينستون، ٢٠٢٢، وجاين، The Indian Drawloom and its Products، للاطلاع على نقاش حول الترابط وأوجه الشبه والاختلاف في تقاليد صناعة النسيج الصفوية الإيرانية والمغولية الهندية.

تارا ديجاردان

الموضة الفرنسية للأقمشة الإيرانية

المذاق الفارسي: حكاية دار كارتييه مع الحرير الصفوي

اشتهرت دار الموضة الفرنسية "كارتييه" تاريخياً بصناعة المجوهرات الملكية، وقد ابتكرت في أواخر عشرينيات القرن الماضي مجموعة حقائب يد مميزة، خرجت فيها عن التقاليد السائدة في ذلك الزمن، مستخدمة أقمشةً حريريةً تعود إلى القرنين السابع عشر والثامن عشر من إيران الصفوية.

تزامن طرح هذه المجموعة من الحقائب الأقلّ شهرة، مع افتتاح القسم الجديد من "كارتييه" المخصّص للأكسسوار فشكّلت نقطة تحوّل بارزة نحو الحداثة عكست التغيير الذي طرأ على الأزياء النسائية، ولكن أيضاً الانبهار بالشرق، وقد انتشرت هذه الأقمشة أكثر فأكثر مع نشوء سوق الفنون الإسلامية.

كانت بدايات دار "كارتييه" من متجر صغير متخصّص بتلبية طلبات العملاء الأثرياء على التصاميم الفاخرة. نمت الشركة خلال القرن التاسع عشر، وبحلول العام ١٩٠٠، انتقلت من الأب المؤسس إلى أبنائه الثلاثة لويس (١٨٧٥-١٩٤٢) وجاك (١٨٨٤-١٩٤١) وبيير (١٨٧٨-١٩٦٤) الذين وسّعوا أعمال الشركة في باريس ولندن ونيويورك على التوالي.

تزامن توسّع الشركة مع تنامي الاهتمام الأوروبي بالفنون المصرية والهندية والصينية. فقد اجتاحت فرنسا على وجه الخصوص موجة "هندو-فارسية" امتدّت إلى كافة أنواع الفنون والموضة والتصميم. هكذا، دمجت "كارتييه" إلى جانب العديد من دور الأزياء والمجوهرات الباريسية هذه الأنماط "الشرقية" في تصاميمها. ولكن فيما اكتفت دور الموضة الأخرى بالاستلهام من إيران، بادرت "كارتييه" إلى استخدام الأقمشة الإيرانية التاريخية في ابتكاراتها.

باريس والمذاق الفارسي

يمكن تتبّع جذور هذا الانبهار بسحر الشرق إلى منتصف القرن التاسع عشر الذي شهد إقامة مجموعة معارض في العديد من العواصم والمدن الأوروبية، عرضت فيها الدول المشاركة آخر إنجازاتها ومنتجاتها الصناعية. نجحت هذه المعارض في بناء بيئة مؤاتية لإنشاء المجموعات الفنية وإقامة المعارض الخاصة وإعداد المنشورات حول الفنّ الإسلامي. في باريس، ظهر تأثير الأشكال الفنية الإسلامية على الفنون الزخرفية بشكل واضح بدءاً من العام ١٨٦٧ مع بناء نسخة عن قصر باردو، مقرّ البايات التونسيين، مزوّد بقباب صغيرة وأقواس على شكل حدوة حصان في أحضان حديقة مونسوري، إلى جانب بناء قصر تروكاديرو المستوحى من الأسلوب المغاربي لمناسبة معرض باريس في العام ١٨٧٨.[١]

في تلك الفترة أيضاً، تضمّن معرض الاتحاد المركزي للفنون الزخرفية في العام ١٨٩٣ غرفة مخصصة للفن الآسيوي والإسلامي، واحتضن بعدها متحف الفنون الزخرفية معرض الفنون الإسلامية في العام ١٩٠٣ الذي خُصّص بالكامل للفنون الإسلامية، واستقطب عدداً قياسياً من الزوّار بلغ ٣٩ مليون زائر.[٢] عُرضت بعدها أقمشة ولوحات من إيران الصفوية في معرض الاتحاد المركزي

الرسم ١
برنامج الباليه روس، شهرزاد، يصور أزياء من *Comœdia Illustré* لليون باكست، أعيد إنتاجه في مايو إلى يونيو ١٩١٤ م

للفنون الزخرفية الثاني في العام ١٩٠٧. وفي العام ١٩١٢، ضمّ معرض آخر أقيم في متحف الفنون الزخرفية حوالي ٥٠٠ لوحة وقطعة فنيّة، بما فيها الأقمشة الفارسية.[٣] وقد أتاحت هذه المعارض الدولية، تعريف جمهور أوسع على الأقمشة من الحقبتين الصفوية (١٥٠١–١٧٢٦) والقاجارية (١٧٩٦–١٩٢٦) في إيران.

ولعلّ الفضل الأكبر في نشر هذا "المذاق الفارسي" يعود إلى فرقة "الباليه روس" المتنقلة التي أسسها سيرج دياغهيليف (١٨٧٢–١٩٢٩) وقدّمت عروضها في باريس بين عاميّ ١٩٠٩ و١٩٢٩. فحين تأسست الفرقة، كانت باريس على مشارف انتهاء "الحقبة الجميلة" وفي أوجّ مرحلة الاستشراق. فأحيت الفرقة استعراضات تنضح بـ "الجمالية الشرقية" أمام الجمهور الغربي، ما أشعل أيضاً حماسة مصمّمي الأزياء.

قدّمت الفرقة في العام ١٩٠٩ عرضها الاستشراقي الأول "كليوباترا"، رقص فيه عشّاق "الملكة ثامار" على المسرح مرتدين أزياء أمراء فارس، تلاه في العام ١٩١٠ عرض "شهرزاد" المستوحى من عالم ألف ليلة وليلة، وقد تولّى تصميم المسرح والملابس ليون باكست (١٨٦٦–١٩٢٤، الرسم ١).[٤] كسب هذا الانبهار ببلاد فارس زخماً إضافياً في موسم ١٩١٢ مع عرض "لا بيري"، حيث ارتدى بطل العمل "إسكندر" عمامة وعباءة من تصميم رينيه بيو (١٨٦٩–١٩٣٤) الذي حرص على نقل الأنماط والرسومات الفارسية بأكبر قدر من الدقة.

كانت لتصاميم المسرح الباهرة والأزياء الصارخة التي اعتمدتها الفرقة أيّما تأثير على عالم الموضة. فقد خطف الراقصون الأضواء منذ إطلالتهم الأولى على المسرح، "فأصبحت فرقة "الباليه روس" هي مصدر الموضة في كلّ مكان،[٥] إنّما كانت موضة مهووسة تماماً بكلّ ما هو فارسي".[٦] وبعد أن شاهد مصمم الأزياء الفرنسي بول بواريه (١٨٧٩–١٩٤٤) عرض "شهرزاد"، طلب من ليون باكست تصميم ١٢ فستاناً نسائياً.[٧] ثمّ أقام حفلاً ساحراً تمحور حول عالم ألف ليلة وليلة، ارتدى خلاله ٣٠٠ ضيف سراويل الحريم (وهي عبارة عن سراويل فضفاضة، تضيق عند الكاحل) قدموا الاحترام لمضيفهم الذي استقبلهم جالساً على عرش ذهبي مرتدياً زيّ حاكم فارسي. وقد حصل كلّ من الضيوف على زجاجة من عطره الجديدة Nuit Persane (ليلة فارسية).

تلى حفل بواريه، حفلات أخرى بطابع فارسي استضافها في العام ١٩١٢ ماركيز دو شابريلان (١٨٦٩–١٩٥٠) وكونتيسة بلانش دو كليرمونت-تونير (١٨٥٦–١٩٤٤)، تميزت بجداريات ليون باكست التي صوّرت "راقصي شيراز" والفيلة والنمور والطواويس مضفيةً أجواء شرقية مذهلة.[٨]

مصممو المجوهرات والأزياء: "كارتييه" و"هاوس أوف وورث"

إلى جانب تلك الحفلات الباذخة المستوحاة من بلاد فارس، كانت الموضة النسائية تشهد تحوّلات هي الأخرى. ففي العام ١٩٠٣، تخلّت تصاميم بواريه عن

9me SAISON. MAI-JUIN 1914 PRIX : 3 Francs

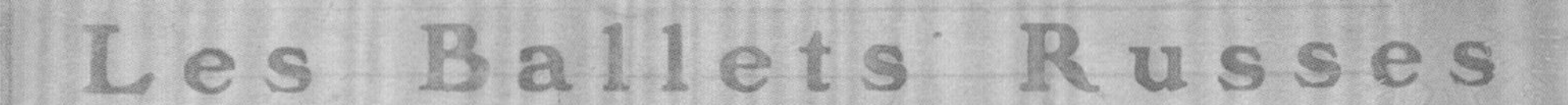

Les Ballets Russes

Programme Officiel
édité par
" Comoedia Illustré "

M. MICHEL FOKINE, Directeur chorégraphique des Ballets Russes
et Mme VERA FOKINA, dans " Schéhérazade "

Costumes de Léon BAKST

Aquarelle de Valentine GROSS

E.10305-1957
Youbani 370
PRIERE DE RENVOYER CE DESSIN
E. 10305-1957

الرسم ٢
تصميم جان شارل وورث "يوباني" لصدّار فستان بأسلوب فارسي متعدّد الألوان، فرنسا، باريس ١٩٢٣ م. قلم رصاص وقلم حبر وحبر سائل وألوان مائية على ورق، ٢٧ × ٢١ سم، لندن، متحف فيكتوريا وألبرت 1957-E.10305

التنورة الداخلية، ثمّ تخلّت عن المشدّ في العام ١٩٠٦. وبحلول العام ١٩١٠، كانت الموضة النسائية قد تبنّت القصّات الطويلة المستقيمة التي تناسقت بروعة مع سراويل الحريم الفضفاضة والمعاطف المطرزة بزخرفات فارسية والعمائم الشرقية التي حملت توقيع مصمّمين آخرين مثل جان-شارل وورث (١٨٨١–١٩٦٢) من دار أزياء "هاوس أوف وورث" الشهيرة.

عمد وورث الذي يُعدّ أهمّ روّاد عصره في مجال الأزياء النسائية الراقية، إلى طرح خطّ جديد من الملابس المناسبة لجلسات بعد الظهر وحفلات الشاي في العام ١٩٢٣، تضمّنت قمصاناً طويلة مطرّزة ومعاطف وصدّارات بأسلوب فارسي (الرسمان ٢ و٣). وعلى عكس بواريه، غالباً ما كان وورث ينسّق فساتينه مع حلي رأس من توقيع "كارتييه"، التي أصبحت بحلول العام ١٩٠٠ قطعاً أساسية، لا يكتمل أي زيّ أنيق من دونها.

بشكل عام، كان مصمّمو الأزياء ومصمّمو المجوهرات يعملون بشكل مستقلّ عن بعضهم البعض، إلا أن وورث وكارتييه اللذين جمعت بينهما علاقة مهنية وشخصية، غالباً ما تعاونا معاً.[٩] تعود هذه العلاقة بين شركتيّ الموضة إلى نوفمبر ١٨٠٠ حين افتتحت "كارتييه" متجرها الجديد في شارع ١٣ دولا بي في باريس، على بعد خطوات من مقرّ "هاوس أوف وورث". في ذلك الوقت كانت تصاميم وورث قبلة أثرياء العالم من روس وألمان وإنجليز وأميركيين، فاستغلت "كارتييه" بذكاء إحدى واجهات "هاوس أوف وورث" لجذب اهتمام العملاء الأغنياء الذين كانوا مستعدين لشراء ملابس بأسعار تضاهي أسعار الأعمال الفنية، ويرغبون بتنسيق مجوهرات معها.

لويس كارتييه والحرير الصفوي

أثمرت تلك العلاقة أيضاً الإلهام الذي استمدّه لويس كارتييه من مجموعة الأقمشة والطبعات الهندو-شرقية لدى وورث. فكارتييه نفسه كان معجباً بالأقمشة الفارسية، كما أنّه جامع للتحف الفنية وقد تأثر بالمعارض سابقة الذكر، بالأخص معرض الفنون الإسلامية الذي أقيم في العام ١٩٠٣.[١٠] أثارت هذه المعارض اهتمام العديد من جامعي وتجّار الأعمال الفنيّة، الذي استغلوا الأوضاع السياسية في إيران من أجل وضع أيديهم على كنوزها الوطنية والآثار التي تم تنقيبها بشكل غير شرعي وقطع من المجموعات الفنية الخاصة. أحدثت الثورة التي اندلعت في إيران بين عاميّ ١٩٠٥ و١٩١١ فراغاً حكومياً واقتصادياً، أسفر عن وصول عدد هائل من المقتنيات، ومنها المخطوطات والأقمشة على وجه الخصوص إلى سوق الأعمال الفنية في باريس خلال مطلع القرن العشرين.[١١]

في ظلّ هذه الأجواء، اشترى لويس كارتييه شخصياً مجموعة متنوّعة من الأقمشة الإيرانية ليضمّها إلى مجموعته الخاصة، وأخرى ليضيفها كأكسسوارات وتجهيزات إلى مخزون منفصل من التحف الفنية يُعرف بال "apprêts" كان ينوي

استخدامها في ابتكاراته الجديدة لصالح الدار.[١٢] وقد ابتاع العديد من هذه الأقمشة عبر عدد من الوسطاء وتجار القطع الفنية في باريس، مثل الأخوين كاليبدجيان الأرمنيين، اللذين صودف امتلاكهما متجراً قبالة متجر "كارتييه" في ١٢ رو دو لا بي. وتشير العديد من الفواتير الخاصة بلويس إلى تعاملاته مع الأخوين كاليبدجيان، منها خمس عشر فاتورة تذكر صراحة مقتنيات من مصادر "إسلامية" حصل عليها بين العامين ١٩١١ و١٩٣٨.[١٣] وتتضمّن هذه المقتنيات "حقيبة مصنوعة من النسيج الفارسي" وثلاثة أثواب فارسية، بينها رداء فاخر من القرن السابع عشر مصنوع من "الساتان باللون الكحلي المقصّب بباقات من الأزهار"، وآخر "مطرّز مع فتحات على الجانبين وبطانة"، أضيفت إلى مخزونه في سنوات ١٩١٩ و١٩٢٣ و١٩٢٥ على التوالي.[١٤] وتشير فاتورة أخرى من الأخوين كاليبدجيان تعود إلى ٨ أكتوبر ١٩٢٣ إلى "حقيبة فارسية، أضيفت أيضاً إلى مخزون أكسسوارات الـ apprêt.[١٥]

يُرجّح أن يكون لويس كارتييه قد ابتاع بعض تلك الأقمشة من تجار متخصصين أو ربما من دور أزياء أخرى، مثل "واغنر" (الواقعة في ساحة لي فيكتوريو العريقة في باريس) أو "وورث" المعروفتين باستيراد نسيج الديباج الفاخر من أوروبا والصين وإيران.[١٦] ولكن لويس كارتييه أرسل موظفيه إلى إيران أيضاً، ففي فبراير ١٩٠٩، سافر مندوب المبيعات الشاب موريس ريشار إلى طهران من أجل شراء بعض القطع.[١٧] وفي العام نفسه، طرحت الدار قطعها الأولى التي أعلنت صراحة أنها استلهمتها من التصاميم الإسلامية.[١٨] ثمّ في العام ١٩١٢، توجّه لويس نفسه في زيارة إلى روسيا، وقد وجّه من هناك رسالة إلى والده ألفرد قال فيها "يبدو لي أن القطع الجديدة التي يجب أن نطرحها للبيع، لا بدّ أن تكون بأسلوب روسي أو حتى فارسي".[١٩]

بعد فترة قصيرة، في فبراير ١٩١٢، ابتكر لويس كارتييه مجموعة منفصلة من المجوهرات أطلق عليها تسمية "مجموعة القطع الشرقية" عبّرت عن أسلوب "فارسي" مختلف بشكل واضح (أو حملت أقلّه "زخرفة فارسية") كما ورد في دفاتر الجرد.[٢٠] تزامن ذلك أيضاً مع إطلاق القسم S المتخصص بالفضة (من كلمة silver الإنجليزية) الذي أنتج تحت الإدارة الإبداعية لجين توسان (١٨٨٧-١٩٧٨) قطعاً أنيقة وعملية، بيعت بأسعار ميسّرة أكثر، تضمّنت مجموعة من حقائب اليد النسائية.

بحلول عشرينيات القرن الماضي، اكتسبت حقائب اليد أهميةً كبرى في إكمال إطلالة السيدات. وقد تزامن ذلك مع التحوّل في الموضة النسائية المتمثّل بالقصات الفضفاضة المستقيمة التي تتناسق مع الأكسسوارات ذات التصاميم غير المتماثلة والسلاسل الطويلة الأنيقة وزينة الشعر.[٢١] ولكن على الرغم من أناقة هذه القصات، إلا أنها نادراً ما كانت تترك مجالاً لوجود الجيوب، فأصبحت حقيبة اليد إذاً قطعة أكسسوار إلزامية عند السفر أو عند حضور الفعاليات الاجتماعية. كانت تلك الحقائب صغيرة، ولكن تكفي لحمل

الرسم ٣
كارتييه، حقيبة يد حريرية مع قفل مصنوع من أحجار كريمة ومطلي بالورنيش، قرابة عشرينات القرن العشرين، ٢٣ سم، قُدمت من قبل Christie's Interior ٣–٤ أبريل ٢٠١٢، المجموعة رقم ٣٠٤

السجائر ومستحضرات التجميل، حيث تطلبت هذه العادات المكتسبة حديثاً أكسسوارات جديدة، فأصبحت حقائب اليد رمزاً للحداثة وللمرأة العصرية.

ابتكر كارتييه العديد من الحقائب الصغيرة، ولكن محفظة الكلاتش مستطيلة الشكل التي تحمل تحت الذراع، سرعان ما اكتسبت الشعبية الأوسع. استُخدم الحرير الإيراني من القرنين السابع عشر والثامن عشر في صناعة العديد من تلك الحقائب التي زُيّنت بمشبك من المجوهرات يرمز لدار كارتييه (حصلت على براءة اختراعه في العام ١٩٢٦)[٢٢]، أو بقطع منحوتة من اليشم والمشابك المستوحاة من الصين (الرسم ٣).[٢٣] شهدت هذه النماذج من الحقائب على استخدام واسع للحرير والخيطان الملفوفة بالمعدن والمحبوكة بأشكال أنيقة من الأزهار المتفتحة ضمن تشابكات متكررة. وكانت هذه التصاميم قد اكتسبت شعبية واسعة خلال فترة حكم الشاه عباس الأول الصفوي (حكم بين ٩٩٦–١٠٣٨ هـ/١٥٨٨–١٦٢٩ م)، الذي يُنسب له احتكار الدولة في إيران لإنتاج الحرير.[٢٤] فعلى مدى القرنين السادس عشر والسابع عشر، كانت هذه الأقمشة في صلب تجارة إيران الدولية، وقد اتسمت بحرفية عالية وأنماط منمّقة، نالت سمعة أسطورية في آسيا وأوروبا.

لا عجب إذاً أن تستخدم دار الموضة الفاخرة "كارتييه" ذلك الحرير نفسه في تصميم حقائب السهرة الأنيقة[٢٥] بعد قرون على ابتكاره، ما يعكس اهتمام لويس كارتييه الشخصي بالتحف الإيرانية، وأيضاً استعداده لمشاركة مكتبته وأرشيفه مع زملائه لتحفيزهم على دمج هذه الموارد ضمن ابتكارات جديدة. إلى ذلك، تؤكّد هذه الحقائب أيضاً على محافظة الحرير الصفوي على مكانته المرموقة، حتى القرن العشرين وما بعده.

١ هانس ناديلهوفير، كارتييه، لندن، تايمز وهادسون، ٢٠٠٧، ص. ١٧٩.

٢ ستيفن فيرنوا، :Islamic Art and Architecture An Overview of Scholarship and Collecting, c. 1850–c. 1950 في *Discovering Islamic Art: Scholars, Collectors and Collections, 1850–1950*، تحرير ستيفن فيرنوا، لندن، نيويورك: أي. ب. توروس، ٢٠٠٠، ص. ١٤–١٧.

٣ فيرنوا، Islamic Art and Architecture، ص. ١٤–١٧، وجوديث هينون-راينو وإيفلين بوسيم، Islamic Art "Revealed": A Path Toward Modern Design في Cartier and Islamic Art: In Search of Modernity، نيويورك: تايمز وهادسون، ٢٠٢١، ص. ٤٣–٤٥.

٤ فيروزة ميلفيل، From les Ballets Russes to les Ballets Persans: The Case of Scheherazade في *Orientality: Cultural Orientalism and Mentality*. ميلانو، سيلفانا إيديتوريالي، ٢٠١٥، ص. ٨٩.

٥ ب. ب. ليفين، *The Birth of Ballets Russes*، لندن: آلن وأنوين، ١٩٣٦، ص. ١٢٥.

٦ فرانسيس كاركو، :La quinzaine artistique Une exposition d'art persane في *L'Homme libre*، ٨ يونيو ١٩١٤، ص. ٢، كما الاقتباس في هينون-راينو وبوسيم، "Islamic Art "Revealed، ص. ٤٧.

٧ رسالة ل. س. باكست إلى ل. ب. غريتسينكو تريتياكوفا مؤرخة في ٢٧ يونيو ٢٠١٠ في أي. س. ليلبيرستاين وف. أ. سامكوف، *Sergei Diaghilev and Russian Art: Papers, Letters, Interviews, Correspondence* [باللغة الروسية]. موسكو ١٩٨٢، العدد ١، ص. ٤٣٨.

٨ ناديلهوفير، كارتييه، ص. ٨١

٩ عقب وفاة تشارلز فريدريك وورث في العام ١٨٩٥، ورث نجلاه غاستون وجان فيليب صداقةً مع نجليْ ألفريد كارتييه لويس وبيير. حتى أن لويس كارتييه تزوّج من أندريه، ابنة جان فيليب، في العام ١٨٩٨، فيما تزوجت سوزان، شقيقة لويس، من جاك، نجل غاستون.

١٠ فيرنوا، Islamic Art and Architecture، ص. ١٤–١٧

١١ هينون-راينو وبوسيم، Islamic Art "Revealed" ص. ٤١–٤٢.

١٢ تمّ توثيق الأقمشة والملابس والأحزمة والحقائب والسجادات في السجّل الفوتوغرافي ضمن أرشيف كارتييه، باريس، فيما أدرجت بعض القطع أيضاً في دفاتر الجرد المتعلقة بمشترياته.

١٣ جوديث هينون-راينو، Precious Manuscripts and Inlaid Objects: Reconstructing Louis Cartier's Islamic Art Collection في *Cartier and Islamic Art*، ص. ٦٣.

١٤ تم توثيق هذه المشتريات ضمن أرشيف كارتييه: السجل AH 587 2، وقد اشتريت من الأخوين كاليبدجيان وأضيفت إلى المخزون في ١٢ مارس ١٩٢٣؛ اشتريت من لويس كارتييه في ٣٠ أكتوبر ١٩٢٥؛ السجل AH 587 2، وأضيفت إلى المخزون في ٦ مارس ١٩٢٣، وأخذها لويس كارتييه إلى بودابست في ١٧ مارس ١٩٢٣؛ السجل: AH 587 2، رقم ٢٤١، اشتريت من ميلكونيانتز، وأضيفت إلى المخزون في ١٤ أكتوبر ١٩١٩، وقد بيعت إلى لويس كارتييه في ٤ أكتوبر ١٩١٩، وربما قُدّمت إلى جين توسيان. ذُكر كلّ ذلك في هينون-راينو، Precious Manuscripts and Inlaid Objects، ص. ٦٢–٦٣.

١٥ هينون-راينو، Precious Manuscripts and Inlaid Objects، ص. ٧٦، ملاحظات ٢٠ و٣٠.

١٦ ناديلهوفير، كارتييه، ص. ١٢٣

١٧ وصل ريتشارد إلى طهران خلال الثورة، فوجد أن كافة المتاجر الكبرى مغلقة، وأدرك أنه سيكون من الصعب العثور على قطع مهمة في مثل هذا الوضع. يُذكر أن مذكرات أسفاره محفوظة في أرشيف كارتييه. انظر هينون-راينو وبوسيم، Islamic Art "Revealed"، ص. ٤٨، الملاحظة ١٢.

١٨ فيوليت بوتي، A Journey into the Cartier Archives في *Cartier and Islamic Art*، ص. ٣١.

١٩ رسالة من لويس كارتييه إلى والده ألفريد، مؤرخة في يناير ٢٠١٩ خلال رحلة إلى روسيا، مقتبسة في أوليفييه باشيت وألان كارتييه، *Cartier: Objets d'exception*، باريس: باليه رويال، ٢٠١٢، العدد ١، ص. ٢٤٩.

٢٠ هيذير إيكير، :Cartier's Lexicon of Forms Adapted from Islamic Art and Architecture في *Cartier and Islamic Art*، ص. ١٧٧.

٢١ لوران سالومي، ولور دالون، *Cartier: Style and History*. باريس: Réunion des Musées Nationaux-Grand Palais، ٢٠١٣، ص. ١١٠.

٢٢ نالديلهوفير، كارتييه، ص. ٢١٣.

٢٣ بيعت كلتاهما عبر الموقع الإلكتروني https://www.christies.com/lot/lot-5542755?ldp_breadcrumb=back&intObjectID=5542755&from=salessummary&lid=1 وhttps://www.1stdibs.com/jewelry/objets-dart-vertu/more-objets-dart-vertu/cartier-art-deco-platinum-carved-sapphire-emerald-diamond-evening-clutch-bag/id-j_11231892/

٢٤ انظر إلى المقالة في هذا العدد بتوقيع نيكوليتا فازيو.

٢٥ وفي الوقت نفسه، تم صنع حقائب أخرى من الحرير التي بدت كتقليد للحقائب الصفوية. انظر حقائب كارتييه المعروضة للبيع على هذه المواقع: https://www.artsy.net/artwork/cartier-purse؛ https://www.1stdibs.com/furniture/more-furniture-collectibles/collectibles-curiosities/collectible-jewelry/art-deco-cartier-evening-bag-silk-gold-clasp/id-f_9972503/ أو https://www.christies.com/lot/lot-a-rare-art-deco-silk-embroidered-evening-1590164/?from=salessummary&intObjectID=1590164&sid=bc31d3fc-4263-472a-813b-666f88badc46 ويجب إجراء المزيد من الأبحاث على المجموعة.

نيكوليتا فازيو

ألبوم المعرض

١

لقاء الشاه عباس مع سفير الهند خان عالم

إيران، أصفهان، حوالي ١٠٣٩–١٠٥٠ هـ/١٦٣٠–١٦٤٠ م
ذهب وحبر وألوان مائية غير شفافة على ورق
٢٧,٥ × ١٨ سم
متحف الفن الإسلامي، الدوحة، MIA.2014.377

عززت إيران في عهد الشاه عباس حدودها الجيوسياسية ودعّمت اقتصادها، مرتقيةً بالفنون البصرية والحرفيات والهندسة المعمارية إلى مراتب متقدمة بفضل سلسلة الإصلاحات والجهود الدبلوماسية التي قادها الشاه.

في عام ١٠٢٧ هـ/١٦١٨ م، استقبل الشاه عباس العديد من الموفدين الدبلوماسيين في بلاطه، لعلّ أبرزهم الموفد المغولي ميرزا برخودار، المعروف باسم "خان عالم"، الذي سافر برفقة حاشية السفير الصفوي يدغار علي في طريق عودته من بلاط الإمبراطور المغولي جهانغير (حكم بين ١٠١٤–١٠٣٤ هـ/١٦٠٥–١٦٢٧ م) إلى أصفهان. تذكر بعض المراجع أن جهانغير أرسل هدايا عظيمة إلى الشاه عباس، ما يؤشر إلى اعتبار الشاه نظيراً له، في موقف سياسي على قدرٍ عالٍ من الأهمية نظراً للعداوة العلنية بين الإمبراطورية المغولية والدولة الصفوية آنذاك. ومن بين أعضاء الوفد المغولي كان الرسام الملكي بشنداس، الذي كُلّف بتوثيق اللقاء بين خان عالم والشاه عباس من خلال الرسومات.

نالت لوحة بشنداس شعبية واسعة، وأعاد فنانون لاحقون رسمها عدّة مرّات. يظهر في هذه النسخة الشاه عباس، الذي يمكن تمييزه من خلال شاربه المستدق وقبعته الشبيهة بالمروحة، وهو يقدّم قدحاً ذهبياً للسفير المغولي. ويرافق الرجلين غلام يقف خلفهما يحمل إبريقاً.

نُشرت في
شخاب-أبو دية وتوغويل (٢٠١٧)، نسيج الإمبراطوريات، ص. ٩٣

عُرضت في
نسيج الإمبراطوريات: زخارف وحرفيون بين تركيا وإيران والهند، ١٥ مارس – ٤ نوفمبر ٢٠١٧، متحف الفن الإسلامي، الدوحة

شبیه شاه عباس ماضی

٢

تاريخ الحرب بين التُرك والفُرس

(Historia della guerra fra Turchi et Persiani)

بقلم جيوفاني توماسو مينادوي دا روفيغو (حوالي ١٥٤٩–١٦١٨ م)
إيطاليا، البندقية، ١٥٨٨ م
طباعة على ورق
٢٢,٣ × ١٦,٧ سم (الكتاب مغلق)
مجموعة الكتب النادرة، مكتبة متحف الفن الإسلامي، الدوحة،
MIA RARE DR523 .M55 H5 1588

امتد النزاع بين السلطة العثمانية والدولة الصفوية طوال القرن العاشر الهجري/السادس عشر الميلادي، واستمرّ خلال عهد الشاه عباس، فكان موضع اهتمام الدول الأوروبية التي رأت في النزاع العثماني-الصفوي مصلحة استراتيجية لها على كافة المستويات العسكرية والسياسية والاقتصادية في حوض البحر المتوسط وآسيا الوسطى. ويعتبر كتاب Historia لجيوفاني توماسو مينادوي الذي نُشر للمرّة الأولى في عام ١٥٨٨ م واحداً من المراجع النادرة والغنية التي تناولت تلك الحقبة. كان مينادوي طبيباً إيطالياً درس في بادوا، ومارس مهنته بدايةً في البندقية، ثمّ التحق عام ١٥٧٨ م بخدمة تيودورو بالبي، قنصل البندقية في سوريا، وتبعه إلى حلب حيث عمل طبيباً لطيفٍ واسع من الزبائن.

كانت حلب مركزاً تجارياً على قدر عال من الأهمية، نظراً لموقعها الاستراتيجي على الطرق التجارية المؤدّية إلى إيران الصفوية. وقد عمل مينادوي مبعوثاً أيضاً لسفير البندقية لدى البلاط العثماني، مكلفاً بالتفاوض حول المعاملة اللائقة لتجار البندقية في السلطنة. ولعلّه كان جاسوساً متخفياً يجمع المعلومات حول الحرب بين السلطان العثماني مراد الثالث (حكم بين ٩٨٣–١٠٠٣ هـ/ ١٥٧٤–١٥٩٥ م) والشاه الصفوي محمد خدابنده (حكم بين ٩٨٥–٩٩٥ هـ/١٥٧٨–١٥٨٧ م)، والد الشاه عباس. وبالفعل ذكر مينادوي الشاه عباس في العديد من فقرات كتابه Historia حيث أشار إليه باسم "عباس ميرزا" ويعني الأمير عباس، وتناول تولّي الشاه عباس السلطة وتنازل والده عن العرش.

HISTORIA DELLA GVERRA FRA TVRCHI, ET PERSIANI,

Di Gio. Thomaso Minadoi da Rouigo,

Diuisa in Libri Noue.

Dall' istesso nuouamente riformata, & aggiuntiui i successi dell' anno M. D. LXXXVI.

Con vna descrittione di tutte le cose pertinenti alla religione, alle forze, al gouerno, & al paese del Regno de Persiani,

Et vna Lettera all' Ill.re Sig.r Mario Corrado, nella quale si dimostra qual città fosse anticamente quella, c'hora si chiama Tauris.

Aggiuntiui ancho gli Argomenti à tutti i Libri, & vna nuoua Carta di Geografia, per maggior chiarezza delle cose narrate nell' Historia.

Con tre Tauole, Vna per la dichiaratione delle voci barbare, L'altra per la ricognitione de' nomi antichi, La terza delle cose più notabili.

CON PRIVILEGI.

IN VENETIA, M. D. LXXXVIII.

Appresso Andrea Muschio, & Barezzo Barezzi.

٣
قطعة نسيج

من تصميم وتوقيع سيفي عباسي (نشط في النصف الأول من القرن الحادي عشر الهجري/السابع عشر الميلادي)
إيران، ربما أصفهان، منتصف القرن الحادي عشر الهجري/منتصف القرن السابع عشر الميلادي
حرير وخيوط ملفوفة بأسلاك معدنية ثمينة
١٠٨ × ٧١,٧ سم
متحف الفن الإسلامي، الدوحة MIA.2014.530

كانت تجارة الحرير في صلب سياسة الشاه عباس الاقتصادية، فقد أحكم البلاط الملكي قبضته على إنتاج الحرير وبيعه، وأصبح الحرير الخام والمنسوجات والسجاد بين صادرات إيران الأكثر إدراراً للربح، ما ضمن تدفق الأموال على الخزينة الملكية. كان الحرير المقصّب المنتج في أصفهان ويزد على وجه الخصوص من أرقى أنواع النسيج وأبهظها ثمناً في إيران الصفوية. فقد حيكت تلك الأنسجة على شكل معاطف فاخرة مخصّصة للنخبة، تُهدى أحياناً كأردية شرف (خلعة) إلى المسؤولين في البلاد والمبعوثين الأجانب، كما يظهر في اللوحات العائدة إلى تلك الحقبة (ص. ٥٧ و٥٨). ازدانت تلك الأنسجة بتصاميم أسهمت في ارتفاع ثمنها، إذ كان يرسمها في معظم الأحيان فنّانون يعملون في الورش الملكية، منها القطعة MIA.2014.530 في متحف الفنّ الإسلامي من تصميم سيفي عباسي الذي نسج توقيعه داخل بتلات الزهور التي شكّلت جزءاً من التصميم الفاتن. ويشير نسبه "عباسي" إلى عمله تحت رعاية الشاه عباس. تبرز القطعة MIA.2014.537 (ص. ٥٧) نمطاً أنيقاً آخر، هو عبارة عن زخرفة متكررة لشكل بيضاوي يمثّل فاكهة الترنجة (غريبفروت) محاطة بمحالق نباتية دقيقة وما تبدو أشبه بالعناصر المشتعلة.

[يتبع]

عُرضت في
أناقةٌ امبراطورية: منسوجات صفوية من متحف الفن الإسلامي، الدوحة، ١٨ ديسمبر ٢٠٢١ – ١٥ مايو ٢٠٢٢، معرض آرثر م. ساكلير، المتحف الوطني للفن الآسيوي، واشنطن العاصمة

قطعة نسيج

إيران، ١٠٠٨–١٠٣٩ هـ (١٦٠٠–١٦٣٠ م)
حرير وخيوط ملفوفة بأسلاك معدنية ثمينة
١٠٧٫٨ × ٧١٫٦ سم
متحف الفن الإسلامي، الدوحة MIA.2014.537

إلى جانب التصميم، كانت أسعار تلك هذه الأقمشة باهظة لأسباب أخرى، منها المواد المستخدمة في صناعتها. فمن أجل حياكة الأجزاء بالذهبي والفضّي، تمّ صنع شرائح معدنية ثمّ طُليت بالذهب أو بالفضة، ولُفّت حول خيط حريري عزّز اللون، سواء الأصفر للذهبي أو الأبيض للفضّي، ما أتاح نسج المعدن داخل بنية القماش. زدّ على ذلك الجهد المضني الذي كانت تتطلبه عملية تجهيز النول والحاجة إلى ما يصل إلى ستّة نسّاجين من أجل التحكم بحركة اللحمات الإضافية التي يتألف منها النمط. فكان صنع النسيج المقصّب يستدعي الكثير من التخطيط لتجنّب الوقوع في الأخطاء خلال مرحلة الحياكة.

عُرضت في
أناقةٌ امبراطورية: منسوجات صفوية من متحف الفن الإسلامي، الدوحة، ١٨ ديسمبر ٢٠٢١ – ١٥ مايو ٢٠٢٢، معرض آرثر م. ساكلير، المتحف الوطني للفن الآسيوي، واشنطن العاصمة

شاب يحمل صقراً

إيران، ربما أصفهان، أواسط القرن الحادي عشر الهجري/
أواسط القرن السابع عشر الميلادي
ذهب وحبر وألوان مائية غير شفافة على ورق
المتحف الوطني للفنّ الآسيوي، معهد سميثسونيان،
إعارة من قبل مجموعة الفنّ والتاريخ، LTS1995.2.90

شبیه خسرو سلطان اوزبک

داوود متلقياً ثوب شرف من منعم خان

صفحة من نسخة مصوّرة من أكبر نامه (كتاب أكبر) بخط أبو الفضل
(بتاريخ ١٠٠١ هـ/١٦٠٢ م)
الهند، ١٠٠٤–١٠٠٨ هـ/١٥٩٦–١٦٠٠ م
ذهب، حبر وألوان مائية غير شفافة على ورق
معرض فرير للفنون، المتحف الوطني للفنون الآسيوية،
واشنطن العاصمة، F1952.31

٤

قطعة نسيج بتصميم شبكي

إيران، حوالي ١٠٠٨ هـ/١٦٠٠ م
حرير وخيوط ملفوفة بأسلاك معدنية ثمينة
٧١ × ٥٧,٥ سم
متحف الفن الإسلامي، الدوحة TE.206.2010

إلى جانب النسيج المقصّب، كان المخمل الصفوي المصنوع من الحرير كثيف الوبر في مصاف أرقى وأثمن أنواع النسيج آنذاك. وقد أقبلت عليه نخبة القوم من أوروبا حتى جنوب آسيا، بالأخص مع ازدياد انتاجه وتداوله في عهد الشاه عباس الأول.

تنتمي قطعة القماش المعروضة في الصورة إلى روائع الإنتاج الصفوي، سواء من حيث التصميم الذي يبرز أدق التفاصيل من رصائع وحبوب رمّان وطيور متواجهة ويزخر باستخدام الخيوط الحريرية المذهّبة، أو من حيث طبيعة الحياكة الدقيقة. فقد استخدم النسّاجون تقنية تُعرف بـ "المخمل المفرّغ"، متعمّدين ترك بعض المساحات المسطّحة، ما يعطي طابعاً حيوياً ثلاثي الأبعاد على امتداد قطعة النسيج. على الرغم من بعض التآكل الذي أصاب هذه القطعة مع مرور الزمن، إلا أن المخمل لا يزال يحتفظ بشكله الأصلي متعدد الألوان، فتبدو فيه كتلة حمراء كثيفة على أرضية ذهبية، ومساحات من المخمل المفرّغ الأزرق المخضرّ، وثمّة دليل على وجود خطّ أسود قد زال اليوم. تُحفظ أجزاء أخرى من هذه القطعة في متحف بارجيلو في فلورنسا ومتحف كالوست كولبنكيان في ليشبونة ومتحف أم. إتش. دي يونغ في سان فرانسيسكو، مع العلم أن أغلب ما وصلنا من الأقمشة الحريرية والمخملية الصفوية المحفوظة في المجموعات الفنية العامة والخاصة هي أجزاء من قطع نسيجية أكبر. فمع مرور الزمن وتغير الموضة، أُدخلت تعديلات على الأقمشة والملابس، ما أدى إلى تفتت الكثير منها وتناثرها.

نُشرت في

ميكلسن وآخرون (٢٠١٣)، جبل الفيروز، ص. ١٥٦.
جبل الفيروز: الفنّ الأفغاني: تراث واستمرارية، ٢٠ مارس – ٢٢ يونيو ٢٠١٣، متحف الفن الإسلامي، الدوحة

عُرضت في

أناقةٌ إمبراطورية: منسوجات صفوية من متحف الفن الإسلامي، الدوحة، ١٨ ديسمبر ٢٠٢١ – ١٥ مايو ٢٠٢٢، معرض آرثر م. ساكلير، المتحف الوطني للفن الآسيوي، واشنطن العاصمة

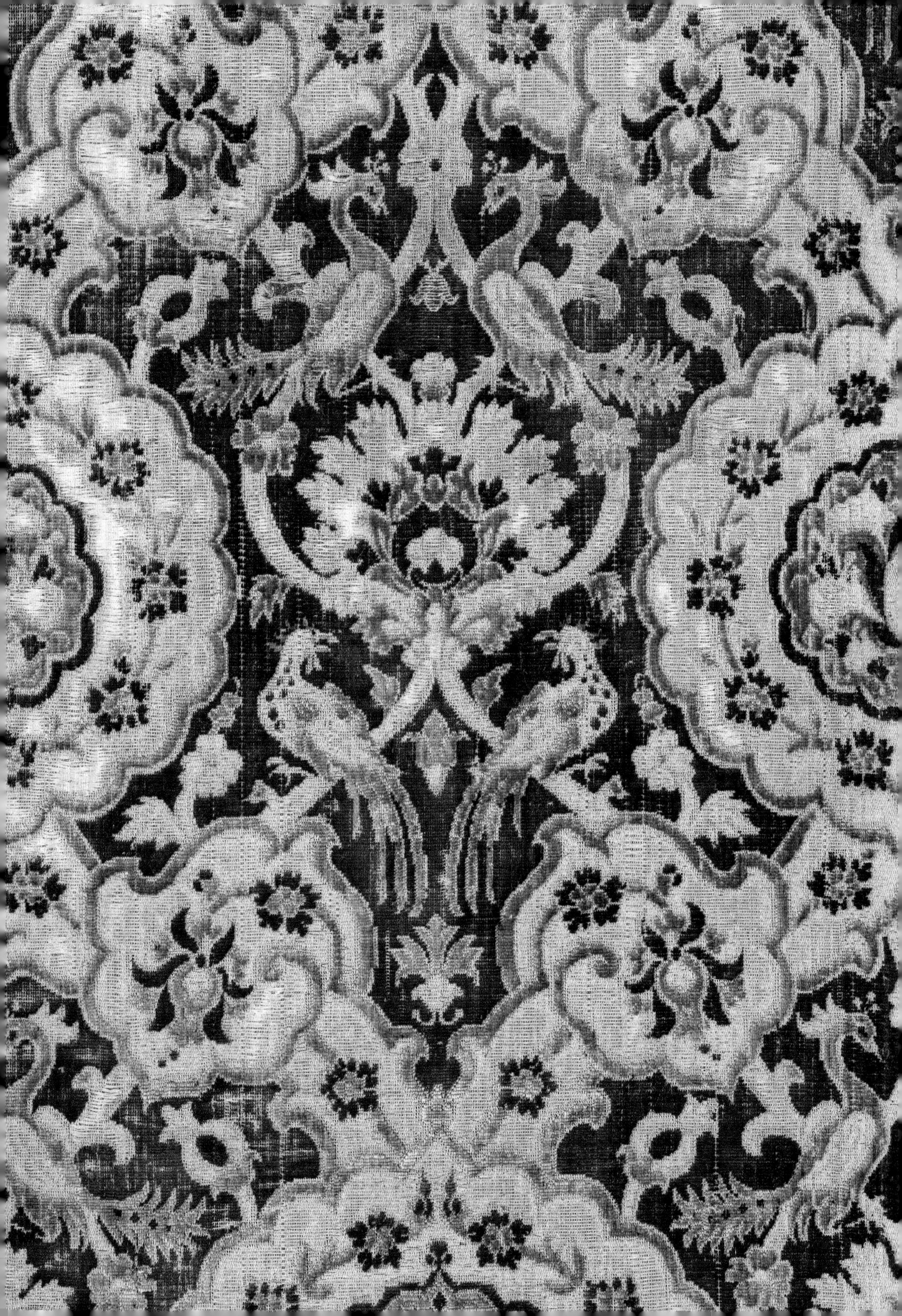

٥
قطعة نسيج مزخرفة بصور أشخاص

إيران، ربما قزوين، حوالي ٩٨٣–١٠٠٨ هـ/١٥٧٥–١٦٠٠ م
حرير وخيوط ملفوفة بأسلاك معدنية ثمينة
١٦٤ × ٧٢ سم؛ ١٦٤ × ٧٠ سم
متحف الفن الإسلامي، الدوحة 2–TE.9.1998.1

اختصّت الورش الملكية الصفوية بصناعة المخمليات المزينة بصور الأشخاص، وكانت غالباً ما تُقدّم حصراً للحاكم وحاشيته (ص. ٦٦) أو تُهدى للزوّار من السفراء. في المثال المعروض هنا، أُنجزت صور الأشخاص والنباتات بواسطة خامة مخملية مزخرفة بحلقات متواصلة من الخيوط الحريرية المطلية بالفضّة. يضفي النسج المسطّح في الخلفية تأثيراً متعدّد الأبعاد، يتكامل مع الخيوط الملفوفة بالمعدن التي تبرز الزخرفات. يتألف النمط من عدّة أزواج من الناس، جالسين أو واقفين وسط مجموعة من الأزهار والأغصان المتفتحة. يركع الرجل في كلّ زوج حاملاً إبريقاً في يده اليسرى وقدحاً صغيراً بيده اليمنى، مقدّماً القدح للمرأة الواقفة أمامه.

حيك التصميم الأساسي على امتداد النسيج، مع إدخال تغيير على اتجاه الأشخاص وألوان ملابسهم في كلّ صف. غالباً ما تولّى كبار فنّاني البلاط تصميم مثل هذه المشاهد التي تبرز صور أشخاص على النسيج، وهو أسلوب يدين بالكثير إلى تقليد رسم المخطوطات الفارسي. ومن خلال مقارنة بعض التفاصيل، منها القبعة الملفوفة التي تعتمرها المرأة، بالرسومات التي وصلتنا، يمكن إرجاع تاريخ هذه القطعة إلى الربع الأخير من القرن الحادي عشر الهجري/السادس عشر الميلادي واستنتاج أنها صُنعت في الورشة الملكية في مدينة قزوين، عاصمة الدولة الصفوية، قبل أن ينقل الشاه عباس العاصمة إلى أصفهان.

نُشرت في

طومسون (٢٠٠٤)، الحرير، ص. ٣٦–٣٩، الخمير (٢٠٠٦)، من قرطبة إلى سمرقند، ص. ١٨٠–١٨٣

عُرضت في

من قرطبة إلى سمرقند: روائع متحف الفن الإسلامي في الدوحة، ٣٠ مارس – ٢٦ يونيو ٢٠٠٦، متحف اللوفر، باريس، معرض الألعاب الآسيوية، ٢٠٠٦/١١/٩–٢٠٠٧/١/٩، المجلس الوطني للثقافة والفنون والتراث، الدوحة، أناقةٌ امبراطورية: منسوجات صفوية من متحف الفن الإسلامي، الدوحة، ١٨ ديسمبر ٢٠٢١ – ١٥ مايو ٢٠٢٢، معرض آرثر م. ساكلير، المتحف الوطني للفن الآسيوي، واشنطن العاصمة

أنوشروان منصّباً على العرش (تفاصيل)

صفحة من نسخة مصورة متفصلة من كتاب حبيب السِّيَر
(حبيب المِهَن) لخواندامير (ت ٩٤٢ هـ/١٥٣٥-١٥٣٦ م)
إيران، قزوين، حوالي ٩٩٨-١٠٠٨ هـ/١٥٩٠-١٦٠٠ م
ذهب، حبر وألوان مائية غير شفافة على ورق
معرض آرثر م. ساكلر، المتحف الوطني للفن الآسيوي،
واشنطن العاصمة، S1986.201

قارون هلاک شد
که چهل خانه گنج داشت
نوشیروان نمرد که نام نکو گذاشت

٦

قطعة نسيج حريرية عليها نقوش قرآنية

إيران، أوائل القرن الثاني عشر الهجري/
أوائل القرن الثامن عشر الميلادي
حرير وخيوط ملفوفة بأسلاك معدنية ثمينة
٢٥٠٫٥ × ٧١٫٥ سم
متحف الفن الإسلامي، الدوحة، MIA.2014.268

عُرضت في
أناقةٌ امبراطورية: منسوجات صفوية من متحف الفن الإسلامي، الدوحة، ١٨ ديسمبر ٢٠٢١ – ١٥ مايو ٢٠٢٢، معرض آرثر م. ساكلير، المتحف الوطني للفن الآسيوي، واشنطن العاصمة

رسّخ الشاه عباس تقليد زيارة الأضرحة الشيعية، فكانت فرصة ليستعرض تديّنه ويقوم بالتبرعات السخية على الملأ. إلى جانب الشقّ الديني، كان لتلك الزيارات بُعد سياسي استراتيجي، رمى من خلاله الشاه إلى حشد التأييد لشخصه. وقد تضمّنت الهدايا الكثيرة التي أغدق بها على الأضرحة والمساجد حول إيران، الأنسجة المنقوشة المستخدمة لتغطية أضرحة الأئمة الشيعة. فلم يقتصر استخدام الحرير الإيراني على صناعة الملابس والمفروشات، بل شكّل أيضاً جزءاً من الشعائر الدينية عن طريق صناعة الأنسجة الفاخرة المنقوشة المخصّصة للمحافل الدينية. على الرغم من أن القطعة المعروضة هنا صُنعت في فترة لاحقة قليلاً، إلا أنها تمثّل نموذجاً عن الأنسجة المرتبطة بالبلاط الصفوي. فتغطي الآيات القرآنية والأدعية الشيعية المحاكة بخطّ متفنّن قطعة النسيج بالكامل. وفي بعض الحالات، صيغت الكتابات بأسلوب تناظري بكتابة مرآتية (خطّ المثنّى)، وُوضعت داخل خراطيش.

٧

سجادة عرش مع تصميم أوراق منجلية

إيران، كرمان، القرن الحادي عشر الهجري/السابع عشر الميلادي
صوف وقطن وحرير
٢٦٨,٥ × ١٩٥ سم
متحف الفن الإسلامي، الدوحة، MIA.2013.194

لم يقتصر استخدام الحرير على الملابس، بل دخل أيضاً في صناعة أكثر السجاد فخامةً من الحقبة الصفوية. تقدّم هذه القطعة مثالاً عن السجاد الحريري الذي حُفظ بحالة جيدة، وتُعرف باسم "سجادة باكري-كلارك منجلية الأوراق"، حيث تجمع التسمية بين أسماء المالكين المعاصرين لهذه القطعة، وميزتها الزخرفية الأبرز، على شاكلة أوراق منحنية ومسنّنة، تُعرف بالأوراق المنجلية أو أوراق الساز.

تنتمي هذه القطعة إلى روائع عالم النسيج والتصميم، استُخدم فيها الحرير ضمن بنية القماش نفسه، مضفياً حيويةً إلى الألوان الغنية أصلاً في السجادة، ومفسحاً في المجال لإنشاء عدد كبير من العقد (حوالي ٥٠ عقدة لكلّ سنتمتر مربع)، ما أسهم في صنع تصميم بالغ الدقّة. تصطف العرائش الملتوية والأغصان المزهرة والأوراق المسنّنة والسعفيات وزوج من أشجار السرو بشكل متناظر على المحور الأفقي، فيما يعكس الحقل العام للقطعة تركيبةً عموديةً غير تناظرية، تضفي على السجادة شكلها المميّز. تتميّز هذه السجادة أيضاً بخلفيتها الحمراء، النادرة في النماذج الصفوية الأخرى التي تتضمّن تصميم الأوراق المنجلية. ويُرجّح أن تكون حيكت خصيصاً لمنصة العرش، ما يفسّر صغر أبعادها.

نُشرت في

بوب (١٩٣٨–١٩٣٩)، A Survey، المجلد ٣، ص. ٢٣٨٣–٢٣٨٦، المجلد ٦، الصورة ١٢٣٤، ديامند ومايلي (١٩٧٣)، Oriental Rugs، ص. ٧٧، الصورة ١٠٧، بيتي (١٩٧٦)، Carpets of Central Persia، ص. ٥٠، قطعة ١٥، صورة ٦، إتينغوسين (١٩٧٨)، Oriental Carpets، ص. ٨٤–٨٦، فرانسيس (٢٠٠٣)، Classical Context، ص. ٦٨–٦٩، الصورة ٤

عُرضت في

الشاه عباس وفنون أصفهان، ١١ أكتوبر ١٩٧٣ – ٢٤ فبراير ١٩٧٤، معرض آسيا هاوس، لندن، The World at Our Feet. A Selection of Carpets from the Corcoran Gallery of Art، ٤ أبريل – ٦ يوليو ٢٠٠٣، معرض آرثر م. ساكلير، المتحف الوطني للفن الآسيوي، واشنطن العاصمة

٨
سجادة بتصميم مزهرية

إيران، كرمان، القرن الحادي عشر الهجري/السابع عشر الميلادي
صوف وقطن
٣٥٣ × ٢٨٩ سم
متحف الفن الإسلامي، الدوحة، CA.94.2012

كان السجاد أحد الصادرات الأخرى المدرّة للربح التي أثرت الاقتصاد الصفوي، وقد انتشرت مراكز حياكته على امتداد إيران، من العاصمة أصفهان حتى مدن تبريز وقاشان وكرمان ويزد وهرات والمدن الأصغر أيضاً، لتلبية طلبات البلاط والأسواق الداخلية والدولية الأوسع. شكّلت مدينة كرمان والمنطقة المحيطة بها مركزاً هاماً لصناعة السجاد عالي الجودة منذ القرن التاسع الهجري/الخامس عشر الميلادي.

الحقل المركزي للسجادة المعروضة هنا مُغطى تماماً بصفوف من الأغصان المزهرة والنباتات والشجيرات ضمن تعريشات من الأزرق والأصفر الزاهيين، فيما يُعرف عادة بـ "تصميم الإناء"، بما أن هذا النوع من التصاميم غالباً ما يضمّ شكل إناء. وبفضل كثافة العقد (٢٧ إلى ٣٠ عقدة في السنتمتر المربع الواحد)، تمكّن النسّاجون من صنع نمط بمنتهى الدقة، صُوّرت فيه الأزهار والنباتات بأسلوب واقعي. أما الأطراف فهي عبارة عن تعريشات بالأصفر والوردي الداكن تزدان بزهور صغيرة بيضاء على خلفية زرقاء. طوّر النسّاجون في كرمان خلال الحقبة الصفوية تقنية فريدة من نوعها لصنع العقد، وأنشأوا أنماطاً زخرفية تتيح التعرّف على سجاد تلك المنطقة على الفور.

نُشرت في
شخاب-أبو دية وتوغويل (٢٠١٧)، نسيج الإمبراطوريات، ص. ٧٠–٧١.

عُرضت في
أناقةٌ امبراطورية: منسوجات صفوية من متحف الفن الإسلامي، الدوحة، ١٨ ديسمبر ٢٠٢١ – ١٥ مايو ٢٠٢٢، معرض آرثر م. ساكلير، المتحف الوطني للفن الآسيوي، واشنطن العاصمة

٩
جزء من سجادة على شكل حديقة كبيرة

إيران، ربما تبريز، القرن الحادي عشر/السابع عشر الميلادي
صوف وقطن
٢٣٦ × ٩٠ سم
المجموعة العامة، متاحف قطر، TFD.2014.15

تأتي قطعة النسيج هذه من سجادة ضخمة، ربما يصل حجمها الأصلي إلى ٥,٥ × ٢,١ م، وقد صُنعت على الأرجح في مدينة تبريز التي تعدّ واحدة من أشهر مراكز صناعة السجاد. أمّا التصميم، فيستند إلى نمط متقاطع ونجوم ثمانية الأطراف تملؤها طبعات الأشجار والنباتات. يُعرف هذا النوع من السجاد بـ"سجاد الحدائق"، الشهير بتصوير حدائق أخّاذة ترعى فيها الحيوانات بين أحضان النباتات الكثيفة وأحواض المياه. إلّا أن هذه القطعة من السجاد تختلف عن نظيراتها من "تصاميم الحدائق" بما أن النمط النباتي فيها موزّع على عدّة أقسام، كما أن الأشجار والأغصان تميل في اتجاهات مختلفة، ما يتيح التمتع بجمالية التصميم من عدّة زوايا.

١٠

لوحة بانورامية لأصفهان

إنجلترا، القرن الثامن عشر الميلادي
ألوان زيتية على قماش
١٦٥ × ٣٦٦ سم
متحف لوسيل، متاحف قطر، الدوحة، OM.320

نُشرت في

توينى (١٩٢٨)، مذكرات هوراس وولبول، المجلد السادس عشر، ص. ٦٦، تركماني وآخرون (٢٠١٢)، Arabick Roots، ص. ١٢٢ و١٣٢–١٣٣

عُرضت في

جذور عربية، ١٦ أكتوبر ٢٠١٢ – ١٧ يناير ٢٠١٣، متحف الفن الإسلامي، الدوحة، متحف لوسيل: حكايات عالم يجمعنا، ٢٣ أكتوبر ٢٠٢٢ – ١ فبراير ٢٠٢٣، الرواق، الدوحة

في عام ٩٩٨ هـ/١٥٩٠ م، قرر الشاه عباس نقل العاصمة الصفوية من قزوين إلى مدينة أصفهان الواقعة شمال غرب إيران، في موقع استراتيجي وسط البلاد على تقاطع طرق تجارة الحرير. ومنذ ذلك الحين، انطلقت مرحلة تحوّل عظيم في المدينة، حيث أنتجت الورش الملكية التي أُنشئت فيها أفخر أنواع الحرير والمخمل والسجاد. تصّور هذه اللوحة الرائعة مدينة أصفهان بعد مرور قرن على المشروع المعماري الضخم الذي أطلقه الشاه عباس وأحدث تحوّلات جذرية في المدينة. يعكس الحجم الكبير للوحة الأبعاد الواسعة للمدينة وأهمّ معالمها، أبرزها ميدان شاه مع مسجد الشاه والجسور التي تعلو نهر زاينده، بينها جسر "سي وسه بل" الأيقوني. تصّور اللوحة أيضاً التلال الخضراء على أطراف المدينة التي تحتضن حدائق مسوّرة وفي داخلها خزانات مياه، إلى جانب قوافل التجار وخيولهم المحمّلة بالبضائع فيما يتنقلون داخل أسوار المدينة وخارجها.

تُعزى هذه اللوحة إلى مدرسة الرسّام الفرنسي-الفلمنكي جان بابتيست فانمور (١٦٧١–١٧٣٧ م)، الذي اشتهر برسم مشاهد من السلطنة العثمانية، بالأخص مدينة إسطنبول خلال عهد السلطان أحمد الثالث (توفي عام ١١٤٦ هـ/١٧٣٦ م). وعلى الرغم من أن اللوحة تنسجم إلى حدّ ما مع أسلوب فانمور وتلامذته، إلا أنها على الأرجح من صنع رسّام إنجليزي مجهول. وقد أشير للمرّة الأولى لهذه اللوحة عام ١٧٨٦ م، في كتاب هوراس وولبول الذي عرضها إلى جانب مشاهد لمدن مهمة أخرى في غرب آسيا (إسطنبول، حلب، القدس، تخت جمشيد) ضمن مجموعة دار أديربوري، أوكسفورد شاير.

11

جادة چهارباغ في أصفهان

من كتاب رحلات السير جان شاردان في بلاد فارس وبلدان المشرق الأخرى (Voyages de Mr. le Chevalier Chardin, en Perse, et autres lieux de l'Orient)

لجان شاردان (١٦٤٣–١٧١٣ م)

هولندا، أمستردام، ١٧١١ م

طباعة على ورق

الأبعاد: ١٧ × ١٠،٥ سم (الكتاب مغلق)

مكتبة قطر الوطنية، الدوحة، HC.FB.2015.0010.001-010

استقطبت استراتيجيات الشاه عباس الاقتصادية والسياسية والدبلوماسية عدداً كبيراً من الرحالة والمبعوثين الأجانب إلى إيران، بالتحديد إلى أصفهان. فترك كثير منهم سجلات قيّمة عن أسفارهم، تضمنت ملاحظات دقيقة عن المنطقة وسكّانها. ويُعدّ كتاب مذكرات جان شاردان المؤلف من عشر مجلدات حول أسفاره عبر إيران وجنوب آسيا أحد التقارير الأوروبية الأشمل عن تلك الحقبة. كان شاردان صائغ مجوهرات فرنسي، كُلّف باقتناء الأحجار الكريمة لصالح الشاه عباس الثاني (حكم بين ١٠٥٢–١٠٧٧ هـ/١٦٤٢–١٦٦٦ م)، وكان كثير الأسفار داخل إيران والمناطق المجاورة. تلقي كتاباته الضوء على حياة البلاط والحياة السياسية واليومية في الدولة الصفوية، كما تتضمّن وصفاً لمدن الإمبراطورية إلى جانب رسومات تبرز معالمها. تُظهر اللوحة المعروضة هنا جادة چهارباغ التاريخية في أصفهان الممتدة من الشمال إلى الجنوب على مسافة ستة كيلومترات، وكانت قد بنيت في عهد الشاه عباس الأول، يحيط بها من الجانبين عدد من المباني المهمة، منها مساكن مسؤولي البلاط، ولا تزال حتى اليوم واحدة من أشهر جادات إيران وشوارعها. أُعدّت الرسومات المرافقة لمذكرات شاردان في البداية في الموقع نفسه ثمّ حُوّلت إلى نقوش، وقد أنجز على الأرجح بعض تلك الرسومات الفنان الفرنسي غويلوم-جوزيف غريلو، الذي يُعرف أنه التقى بشاردان في إسطنبول عام ١٦٧٢ م، ورافقه إلى إيران.

١٢

خريطة موانئ بندر عباس، هرمز والجزر المجاورة

من كتاب رحلات جان بابتيست تافيرنييه الست في تركيا وبلاد
فارس والهند (Les six voyages de Jean Baptiste Tavernier
(en Turquie, en Perse et aux Indes
بقلم جان باتيست تافيرنييه (١٦٠٥–١٦٨٩ م)
فرنسا، باريس ١٦٧٦ م
طباعة على ورق
الأبعاد: ٢٥ × ٢٠ سم (الكتاب مغلق)
مكتبة قطر الوطنية، الدوحة، HC.FB.01288.01

يعدّ كتاب "الرحلات الستّ" (Six Voyages) لجان تافيرنييه واحداً من المصادر الأوروبية الهامّة الأخرى حول إيران الصفوية. عاصر تافيرنييه شاردان، وكان هو الآخر تاجر أحجار كريمة فرنسي، ولد في كنف عائلة من رسّامي الخرائط، اكتسب منها حبّ المغامرة، ما شجعه على السفر منذ عمر مبكر. شغل تافيرنييه مناصب مختلفة، كان أبرزها عمله كمترجم لبعض الأسر الأرستقراطية، وقد جاب أوروبا، قبل أن يتوجّه إلى آسيا عام ١٦٣١ م، فتردّد على إيران، وغالباً ما كان ينزل في أصفهان.

يظهر الرسم المعروض هنا الساحل الجنوبي لإيران، ويبدو فيه ميناء بندر عباس. احتلّ البرتغاليون الميناء الذي كان يُعرف سابقاً باسم ميناء كمبرون في عام ٩١٩–٩٢٠ هـ/١٥١٤ م، واستخدموه للسيطرة على التجارة بين منطقة الخليج والمستعمرات البرتغالية في جنوب آسيا. وبعد عقد على ذلك، نجح الشاه عباس في استرجاع الميناء، وأطلق عليه تسمية "بندر عباس"، أي ميناء عباس.

طوّر الشاه عباس الميناء بدعم من البحرية البريطانية ليصبح ميناء تجارياً استراتيجياً يشرف على تدفق البضائع التي تعبر الخليج نحو العاصمة أصفهان. وتظهر الدقة برسم الخرائط في هذه اللوحة أن تافيرنييه اكتسب على الأرجح مهاراته في الرسم من عائلته.

Chemain d'Ispahan
Chemain d'Ispahan
Chemain de la Montagne
Le Caruan-sera aupres du quel est enterré Mr. de Lalin
Bandar Abassi
Isle de Guismich
Village
Village
GOLPHE PERSIQUE

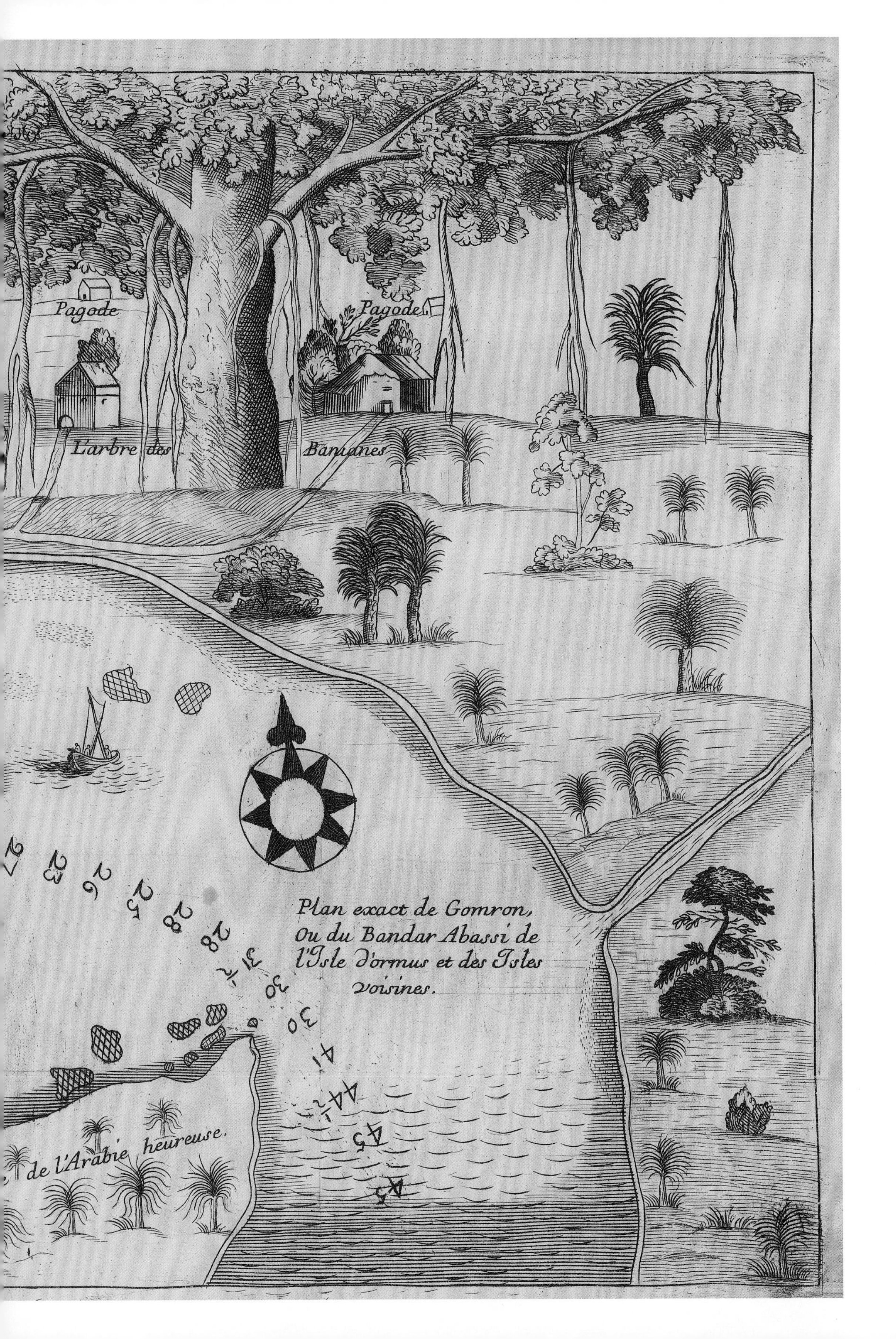
Pagode
Pagode
L'arbre des
Banianes
Plan exact de Gomron,
Ou du Bandar Abassi de
l'Isle d'ormus et des Isles
voisines.
de l'Arabie heureuse.

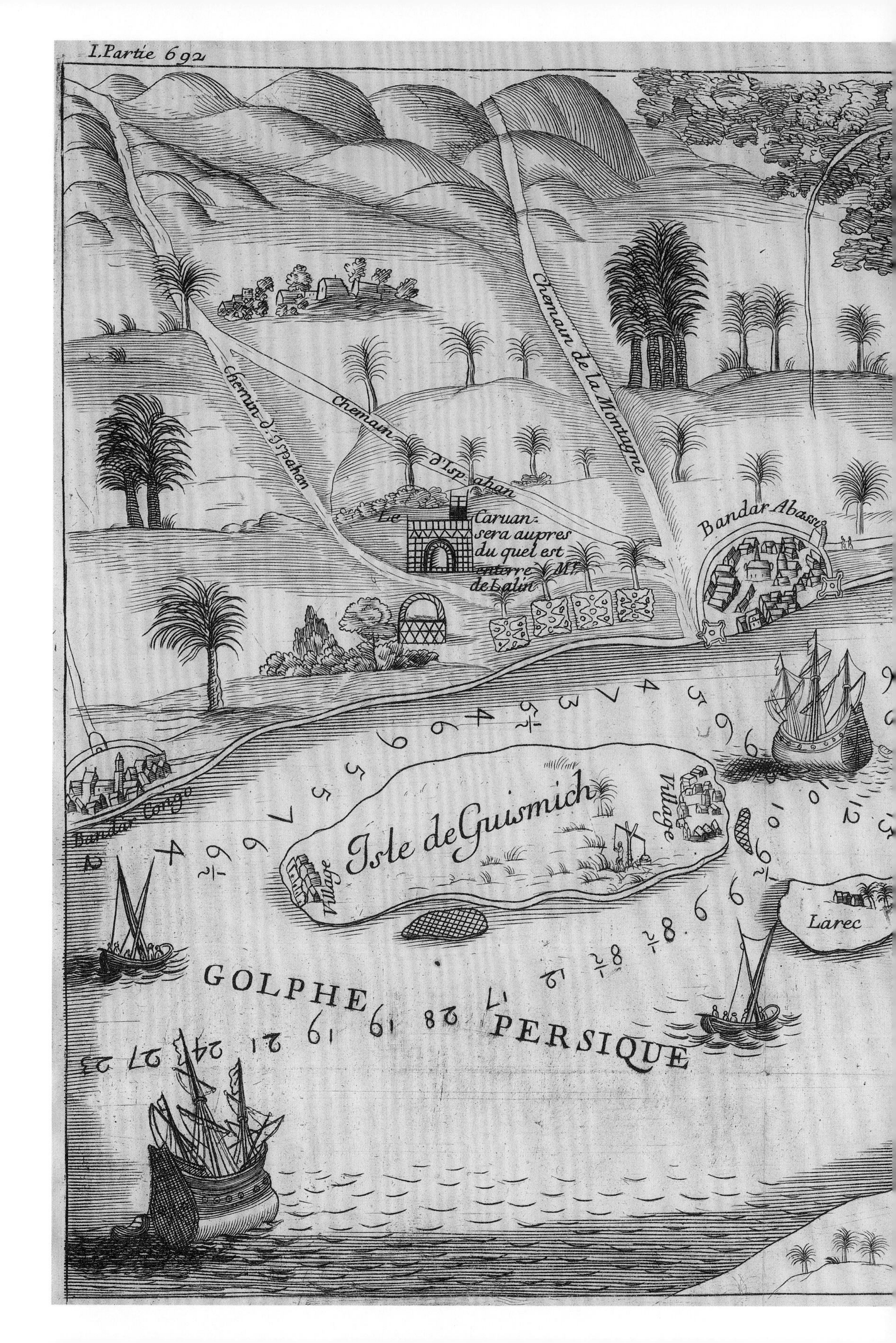
Chemin d'Ispahan
Chemain d'Ispahan
Chemain de la Montagne
Le Caruansera aupres du quel est enterre Mr. de Lalin
Bandar Abassi
Bandar Congo
Isle de Guismich
Village
Village
Larec
GOLPHE PERSIQUE

١٣
قطعة نسيج

إيران، ١٠٠٨-١٠٣٩ هـ/١٦٠٠-١٦٣٠ م
حرير وخيوط ملفوفة بأسلاك معدنية ثمينة
١٠٧ × ٧٤ سم
متحف الفن الإسلامي، الدوحة، TE.204.2010

يُظهر هذا الجزء من قطعة نسيج رائعة (على الصفحة التالية) سيدتين تتهاديان بوقار في حقل مزدانٍ بالورود الكبيرة المُزهِرة، برفقة صقر وكلب صيد. وتضاهي أناقتهما أناقة أيقونات الجمال التي رسمها رضا عباسي، رسام البلاط في عهد الشاه عباس، فيما تَظهر جودة الحياكة، إذ أن الجمال هنا هو نتاج الخيوط المحبوكة بعناية وليس الحبر أو الطلاء.

تشي الحرفية الرفيعة والتشابه مع لوحات رضا عباسي بأن هذه القطعة قد خرجت من الورش الملكية في أصفهان. ويُرجّح أن عرض القطعة الأصلي يقارب ٢١٧سم وهي تتكون من صفوف متكررة من أربع شخصيات نسائية (كما هو موضح في القطعة الموجودة الآن في كوبر هيويت، متحف سميثسونيان للتصميم، واشنطن، 1-119-1977). قُصّبَت أجزاء من النسيج بخيوط حريرية مغلفة بالمعدن، بينما نُسِجت أجزاء أخرى باستعمال المخمل السميك الملتف الذي ما زال محافظاً على ألوانه الزاهية. وبالنظر إلى كبر حجم الأشكال، يكون هذا النسيج استخدم زينة حائط في ديكور داخلي بالغ الفخامة.

نُشرت في

غيرليش وآخرون، (٢٠١٠)، كنوز مكنونة: خمسون في دائرة الضوء، ص.٩٦-٩٧، منشورات سويف، (٢٠١١)، تأملات في الفن الإسلامي، ص. ١١٤-١١٥، ١١٧، غرينوود وآخرون (٢٠١٥)، الصيد، ص.٤٦-٤٧.

عُرضت في

الصيد: هوايات الملوك في البلاد الإسلامية، ١٦ سبتمبر ٢٠١٥ - ٩ يناير ٢٠١٦، متحف الفن الإسلامي، الدوحة، أناقةٌ إمبراطورية: منسوجات من إيران الصفوية، متحف الفن الإسلامي، الدوحة، ١٨ ديسمبر ٢٠٢١ - ١٥ مايو ٢٠٢٢، معرض آرثر م. ساكلير، المتحف الوطني للفن الآسيوي، واشنطن العاصمة.

١٤
سجادة

إيران، ٩٨٨–١٠٠٨ هـ/١٥٨٠–١٦٠٠ م
صوف وقطن
١٩٣ × ١٣٦ سم
متحف الفن الإسلامي، الدوحة، MIA.2013.187

تتمتّع هذه السجادة بحجمٍ صغيرٍ وتصميمٍ مبسط للعرائش وسعيفات النخيل المصطفة على طول محور تناظر عمودي، وتمثل نوعاً من النسيج أُنتج في جميع أنحاء إيران وسُوّق في أصفهان باتجاه السوق الدولية. وقد أدى دعم العرش لقطاع التصنيع إلى تحوّل السجاد الصفوي إلى سلعة مرغوبة في القرن الحادي عشر الهجري/السابع عشر الميلادي، فأنتجت ورش أصفهان آلاف قطع السجاد لتلبية الطلب الداخلي وسوق التصدير المتنامية. وسعياً إلى تسريع الإنتاج وخفض التكاليف، بدأ حائكو السجاد في استخدام القطن كأساس لسجادهم (السداة واللحمات التي حيك عليها الصوف) وابتكروا تصميمات مبسطة يمكن تطبيقها على السجاد على اختلاف أحجامه أو أشكاله.

توضح هذه الصورة كيف كانت معظم هذه السجادات تحتوي على حقل مركزي بأرضية حمراء داكنة وسلسلة من الحدود الخضراء الداكنة مع سعيفات. وقد أدى رواج هذه السجادات في الخارج، إلى ظهور العديد من النسخ المقلّدة. فقد بدأت الهند، مثلاً، في إنتاج سجاد مماثل رغبةً في كسب حصة من هذه السوق المربحة. وهذا ما قد يصعّب مهمّة تحديد أصل العديد من السجاد الصفوي الباقي بالاعتماد على العناصر الزخرفية وحدها. في المقابل، يدلّ الهيكل الأساسي للسجادة إلى مكان صناعة نموذج معين. وعليه، يشير هذا التحليل البنيوي إلى أن معظم النماذج الباقية حتى اليوم هي من أصلٍ إيراني.

نُشرت في
معرض كوركوران للفنون (١٩٢٨)، The Corcoran Gallery of Art، ص. ٧٤

١٥

سجادة بولندية (بولونيز)

إيران، أصفهان، القرن الحادي عشر الهجري/السابع عشر الميلادي
حرير وخيوط ملفوفة بأسلاك معدنية ثمينة
٢٥٠ × ١٤٠ سم
متحف الفن الإسلامي، الدوحة، TE.108.2007

تمثل هذه السجادة مثالاً ساطعاً عن أرقى منتجات السجاد الصفوي بوبره الحريري وتطريزاته الذهبية والفضية، المجتمعة في قطعة خبت ألوانها، بما فيها اللمسات الزرقاء والمشمشية. تنتمي هذه السجادة إلى مجموعة أوسع من السجاد ذي البنية المعقّدة، والأنماط المتشابكة والألوان المتعددة والمساحات المطرزة بخيوط ملفوفة بالذهب والفضة، والتي تنتهي إلى سطحٍ أنيقٍ وديناميكي. غالباً ما يُطلق على السجاد في هذه المجموعة اسم السجاد البولندي "البولونيز" لأن العديد منها يدرج في تصميمه شعارات النبالة الأوروبية، ولا سيما البولندية.

وقد ساد الاعتقاد طويلاً بأن هذه السجادات مصنوعة في أوروبا، بيد أنها في الواقع من إنتاج الورش الملكية في أصفهان وقاشان. وتشير المصادر الأوروبية المعاصرة إلى أنها بيعت في ناحية معينة من البازار في أصفهان، ثم شقت طريقها إلى أوروبا على شكل هدايا ثمينة للعائلات الأرستقراطية والملكية الأوروبية أو بطلباتٍ مباشرة منها.

نُشرت في

ديماند، (١٩٦٦)، مجموعة مؤسسة كيفوركيان، كتالوج ا؛ شخاب-أبو دية وتوغويل (٢٠١٧)، نسيج الإمبراطوريات، ص. ٦٨-٦٩

عُرضت في

نسيج الإمبراطوريات: زخارف وحرفيون بين تركيا وإيران والهند، ١٥ مارس - ٤ نوفمبر ٢٠١٧، متحف الفن الإسلامي، الدوحة

١٦

لوحة لسيدة من طبقة النبلاء

إيران، أصفهان، حوالي ١٠٧٥ هـ/١٦٦٥ م
ألوان زيتية على قماش
١٦٥ × ٨٩ سم؛ ١٦٤ × ٨٩ سم (بدون إطار)
متحف الفن الإسلامي، الدوحة، PA.16.2009

لئن كان الحرير هو العمود الفقري للاقتصاد الصفوي، فإن الموضة شكّلت جانباً أساسياً من المشهد الاجتماعي، في تعبيرها عن المكانة والهوية في عالم تميّز بالتعقيد والعالمية. هذه اللوحة هي جزء من زوج من اللوحات التي تُظهر رجلاً وامرأة، متواجهين، في أبهى حلل زمانهما، بما فيها أغطية الرأس المميزة، والملابس الحريرية المزخرفة والمزينة بالفراء والتطريز، بالإضافة إلى الأحذية العصرية ذات الكعب العالي. يزدان رداء المرأة الطويل بتعريشةٍ زهرية ويقدّم صورة عن نوع الأنسجة الموضحة في الكتالوجين ٣ و١٧. أما رفيقها (ص. ١٠٩) فهو يرتدي ملابس أكثر رصانة رغم أنها مزينة بمواد فاخرة، وعمامة كثيرة الثنيات (منديل أو دولباند) من الحرير الناعم المطبّع بالمربعات. تتميز ملابسهما بتعدد طبقات الأقمشة، وهي سمة من سمات الموضة الصفوية الموصوفة أيضاً في المصادر المكتوبة المعاصرة.

نُشرت في

تركماني، وآخرون. (٢٠١٢)، جذور عربية، ص. ١٠٧ (PA.16.2009)؛ سيمز، "ست لوحات زيتية من القرن السابع عشر من بلاد فارس الصفوية"، في بلير وبلوم، (٢٠١٣)، God Is Beautiful ، الصفحات من ٣٤١ إلى ٣٦٣، الشكلان. ٢٩٣–٢٩٤.

عُرضت في

اللوحات الملكية الفارسية: عصر القاجار ١٧٨٥–١٩٢٥، ١٣ أكتوبر ١٩٩٨ – ٣٠ سبتمبر ١٩٩٩، متحف بروكلين، بروكلين؛ جذور عربية، ١٦ أكتوبر ٢٠١٢ – ١٧ يناير ٢٠١٣، متحف الفن الإسلامي، الدوحة (PA.16.2009)، الفن في إيران وأوروبا في القرن السابع عشر: التبادل والتلقي Art in Iran and Europe in the 17th Century: Exchange and Reception، ٢٨ سبتمبر ٢٠١٣ – ١٢ يناير ٢٠١٤، متحف ريتبيرج، زيوريخ (PA.16.2009)؛ أناقةٌ إمبراطورية: المنسوجات الصفوية من متحف الفن الإسلامي، الدوحة، ١٨ ديسمبر ٢٠٢١ – ١٥ مايو ٢٠٢٢، معرض آرثر م. ساكلير، المتحف الوطني للفن الآسيوي، واشنطن العاصمة (PA.72.2011)

لوحة لسيد من طبقة النبلاء

إيران، أصفهان، حوالي ١٠٧٥ هـ/١٦٦٥ م
ألوان زيتية على قماش
١٦٥ × ٨٩ سم؛ ١٦٤ × ٨٩ سم (بدون إطار)
متحف الفن الإسلامي، الدوحة، PA.72.2011

تُبيّن التفاصيل الظاهرة في خلفية اللوحتين، مثل الأرضية المبلطة والدرابزين الحمراء المستوحاة من التصاميم الصينية أنهما رُسمتا كزوج من لوحتين، "لوحة لسيد من طبقة النبلاء" و"لوحة لسيدة من طبقة النبلاء" (ص. ١٠٥). وتنتمي اللوحتان إلى عدد كبير من اللوحات التي تصوّر أشخاصاً ينتمون إلى المجتمعات الإثنية والدينية المتنوّعة التي تكوّن منها المجتمع التعدّدي في إيران الصفوية. استُلهمت تقنية هذه اللوحات من الفنّ الأوروبي الذي وصل إلى البلاط الصفوي على شكل هدايا حملها السفراء الأجانب، وقد تضمّنت تلك رسومات مطبوعة وكتب ولوحات زيتية ضخمة، ولوحات شخصية تصّور شخصيات ملكية أوروبية في معظم الأحيان. لقيت اللوحات التي تصوّر شخصيات إعجاب الفنانين الصفويين الذي دأبوا على صنع لوحات شخصية بالحجم الحقيقي على لوحات قماشية. وقد استُخدمت الكثير من تلك الأعمال في تزيين القصور الملكية أو مساكن النخبة في أصفهان. وغالباً ما كنت تُنسّق على شكل أربع إلى ستّ لوحات. يمكن العثور على مثل هذه المجموعات من اللوحات في موقعها الأصلي في أصفهان، كقصر جهلستون الملكي (١٠٥٧ هـ/١٦٤٧ م) أو منزل أرمني يُعرف بمنزل سوكاس (منتصف القرن الحادي عشر الهجري/السابع عشر الميلادي).

نُشرت في

تركماني، وآخرون. (٢٠١٢)، جذور عربية، ص. ١٠٧ (PA.16.2009)؛ سيمز، "ست لوحات زيتية من القرن السابع عشر من بلاد فارس الصفوية"، في بلير وبلوم، (٢٠١٣)، God Is Beautiful ، ص. ٣٤١–٣٦٣، الشكلان. ٢٩٣–٢٩٤.

عُرضت في

اللوحات الملكية الفارسية: عصر القاجار ١٧٨٥–١٩٢٥، ١٣ أكتوبر ١٩٩٨ – ٣٠ سبتمبر ١٩٩٩، متحف بروكلين، بروكلين؛ جذور عربية، ١٦ أكتوبر ٢٠١٢ – ١٧ يناير ٢٠١٣، متحف الفن الإسلامي، الدوحة (PA.16.2009)، الفن في إيران وأوروبا في القرن السابع عشر: التبادل والتلقي Art in Iran and Europe in the 17th Century: Exchange and Reception، ٢٨ سبتمبر ٢٠١٣ – ١٢ يناير ٢٠١٤، متحف ريتبيرج، زيوريخ (PA.16.2009)؛ أناقةٌ إمبراطورية: المنسوجات الصفوية من متحف الفن الإسلامي، الدوحة، ١٨ ديسمبر ٢٠٢١ – ١٥ مايو ٢٠٢٢، معرض آرثر م. ساكلير، المتحف الوطني للفن الآسيوي، واشنطن العاصمة (PA.72.2011).

١٧
لوحة شخصية لامرأة أرمنية

إيران، أصفهان، حوالي ١٠٦٠–١٠٨٠ هـ/١٦٥٠–١٦٧٠ م
ألوان زيتية على قماش
١٦٣,٥ × ٩٠ سم (دون إطار)
متحف الفن الإسلامي، الدوحة
PA.66.1998

تصوّر هذه اللوحة الأجواء العالمية لمدينة أصفهان، بتنوّعها الديني والعرقي. وهي تظهر امرأة من صفوة المدينة، في رداءٍ ثمينٍ مصنوعٍ من قماش حريري رائع بأرضية منسوجة بالكامل بخيوط مغلفة بالفضة. وقد درجت العادة على تقديم هذا النوع من المنسوجات عالية الجودة (انظر الكتالوجين ٣ و١٨) إلى السفراء الأجانب من قبل البلاط الصفوي، ولكن حدثَ أن تم استخدامه أيضاً للملابس، كما هو موضح في بعض اللوحات من ذلك العصر (انظر، على سبيل المثال، كتالوج ١٦). ترتدي السيدة أيضاً سترة حمراء بلا أكمام، موشّاة بأزهار كبيرة باللونين الذهبي والأحمر، بالإضافة إلى غطاء رأس يشير إلى أصولها الأرمنية. تحمل المرأة في يدها اليمنى قدحاً زجاجياً عريض الحواف بقاعدة متقنة الصنع، تتطابق مع الدورق الزجاجي الناعم الموجود على الطاولة المحاذية. تقف السيدة بشموخٍ وفخرٍ في إطار مستوحى من اللوحات الأوروبية، يظهر مزهرية كبيرة، وعموداً ملتوياً بنقوش كلاسيكية، وستارة معلقة، وشرفة تنفتح على مناظر طبيعية شاسعة. وتظهر عناصر مماثلة في الصور الملكية المرسلة من ملك إنجلترا تشارلز الأول إلى الشاه صفي الأول عام ١٠٤٧ هـ/١٦٣٨ م. وقد ساهمت البعثات الدبلوماسية وتبادل الهدايا في دخول الفن التشكيلي الأوروبي تدريجياً إلى البلاط الصفوي والمحترف الملكي، حيث تناول الفنانون مواضيع ونماذج جديدة، وابتكروا أعمالاً فنية تدمج اللغات البصرية الغربية والصفوية بشكلٍ فريد (ص. ١١٦). ثمّة لوحة مشابهة جداً تتناول الموضوع نفسه محفوظة في قصر ويندسور، ومعروضة في غرفة الطعام الخاصة بالملك (RCIN 407299)، تحمل اسم "امرأة من حيّ جلفة الجديدة"، وهي موقّعة باللاتينية والأرمنية باسم ماركوس، الرسام الأرمني الذي نشط في أصفهان في خمسينيات القرن العاشر الهجري/أربعينيات القرن السادس عشر الميلادي. ويعدّ وجود التوقيع ميزة أساسية تغيب عن اللوحات الصفوية المعروفة الأخرى المرسومة على قماش.

نُشرت في

كانبي (٢٠٠٢)، Safavid Art and Architecture، ص. ٧٢–٧٦؛ سيمز، "ست لوحات زيتية من القرن السابع عشر من بلاد فارس الصفوية"، في بلير وبلوم، (٢٠١٣)، God Is Beautiful، ص. ٣٤١–٣٦٣، الشكل. ٢٩٥؛ فلينغر، طبعة (٢٠١٨)، L' empire des roses، ص. ١٦٠، الصورة. ١

عُرضت في

الفن في إيران وأوروبا في القرن السابع عشر: التبادل والتلقي Art in Iran and Europe in the 17th Century: Exchange and Reception، ٢٨ سبتمبر ٢٠١٣ – ١٢ يناير ٢٠١٤، متحف ريتبيرج، زيورخ؛ أناقةٌ إمبراطورية: المنسوجات الصفوية من متحف الفن الإسلامي، الدوحة، ١٨ ديسمبر ٢٠٢١ – ١٥ مايو ٢٠٢٢، معرض آرثر م. ساكلير، المتحف الوطني للفن الآسيوي، واشنطن العاصمة

امرأة بجوار نافورة

منسوب إلى علي قولي جبيدار (نشط في النصف الثاني من القرن الحادي عشر الهجري/السابع عشر الميلادي)
إيران، أصفهان، حوالي ١٠٧٠ هـ/١٦٦٠ م
ذهب، حبر وألوان مائية غير شفافة على ورق
المتحف الوطني للفنّ الآسيوي، معهد سميثسونيان،
إعارة من مجموعة الفنّ والتاريخ، LTS1995.118

١٨

قطعة نسيج بتصميم زهور متعرّشة

إيران، ١٠٠٨–١٠٣٩ هـ/١٦٠٠–١٦٣٠ م
حرير وخيوط ملفوفة بأسلاك معدنية ثمينة
١٢٣ × ٥٥ سم
متحف الفن الإسلامي، الدوحة
MIA.2014.532

يزدان هذا النسيج بزخرفةٍ دقيقة على شكل تعريشة نباتية وزهرية على أرضية مقصّبة بالفضة، شديدة الشبه بتلك الموجودة على الجلباب الطويل الذي ترتديه النساء في صورة الكتالوج ١٦ والكتالوج ١٧. تشير ملابسهن الثمينة إلى انتمائهن إلى صفوة الجالية الأرمينية النافذة في أصفهان. ويتشابه هذا الحرير الجميل مع نسيج آخر يحمل توقيع المصمم سيفي عباسي وقد تم التبرع به لضريح الإمام علي في النجف، ربما بعد استيلاء الجيش الصفوي على المدينة عام ١٠٣٢ هـ/١٦٢٣ م. يجمع النسيج بين الجمالية التقليدية والابتكار التقني، إذ إن التحليل البنيوي للنسيج يشير إلى وجود لحمات عائمة تحدّد الزخارف، وهو ابتكار نسجي بدأ استخدامه بشكل أكثر ثباتاً في نهاية القرن الحادي عشر الهجري/السابع عشر الميلادي، أي بعد عقود من نسج هذا الحرير. بيد أن هذا التصميم يتطلع إلى الماضي، إذ يعرض نموذجين بيضاويين متداخلين، أكبرهما ذو شبكة ذهبية تحيط بالورود، وثانيهما أخف وقعاً مع العرائش والأوراق المستدقة والزهور الصغيرة المتفتحة. يبدو أن النسيج، بأناقته المتحفظة وألوانه الناعمة، مستوحى من نماذج أقدم بكثير، ربما تعود حتى إلى الفترة التيمورية من القرن التاسع الهجري/الخامس الميلادي.

عُرضت في
أناقةٌ إمبراطورية: المنسوجات الصفوية من متحف الفن الإسلامي، الدوحة، ١٨ ديسمبر ٢٠٢١ – ١٥ مايو ٢٠٢٢، معرض آرثر م. ساكلير، المتحف الوطني للفن الآسيوي، واشنطن العاصمة.

١٩

لوحة شخصية لنبيل يلبس رداءً عليه أزهار وردية وحمراء وزرقاء

إيران، أصفهان، حوالي ١٠٦٠–١٠٨٦ هـ/١٦٥٠–١٦٧٥ م
ألوان زيتية على قماش
٢١٨ × ١٢٥ سم (دون إطار)
متحف الفن الإسلامي، الدوحة
PA.2.1997

ببشرته الفاتحة وشعره الأشقر وشاربه الكثيف، يبدو الرجل الذي تم تصويره في هذه الصورة الحيوية أجنبياً، ربما أرمنياً أو روسياً أو أحد الزوّار الأوروبيين لأصفهان أو المقيمين فيها. الواضح أن شكله يتناقض مع ملابسه التي تتبع أحدث طراز صفوي. فهو يعتمر عمامة ضخمة مصنوعة من نسيج مطبّعٍ بالمربعات راج في منتصف القرن الحادي عشر الهجري/السابع عشر الميلادي. يرتدي الرجل معطفاً بطيّة على الصدر ومبطناً بالفرو، مزداناً بنمط جميل من الزهور فوق رداء داخلي مخطط باللونين الأزرق والذهبي. ويكتمل المظهر بقميص أحمر فاتح وزوج من السراويل الضيقة ذات اللون الوردي والنعال الخضراء ذات الكعب العالي. تم تصوير ملابس الرجل وملامحه مع إيلاء عنايةٍ كبيرة للتفاصيل مما يشير إلى أن هذه صورة تمثّل شخصاً معيناً وليس أحد النماذج المثالية المصوّرة في معظم اللوحات الزيتية الصفوية الأخرى.

نُشرت في

تركماني، وآخرون. (٢٠١٢)، جذور عربية، ص. ١٠٩؛ سيمز، "ست لوحات زيتية من القرن السابع عشر من بلاد فارس الصفوية"، في بلير وبلوم، (٢٠١٣)، God Is Beautiful، ص. ٣٤١–٣٦٣، الشكل ٢٩٦.

عُرضت في

جذور عربية، ١٦ أكتوبر ٢٠١٢ – ١٧ يناير ٢٠١٣، متحف الفن الإسلامي، الدوحة؛ الفن في إيران وأوروبا في القرن السابع عشر: التبادل والتلقي، ٢٨ سبتمبر ٢٠١٣ – ١٢ يناير ٢٠١٤، متحف ريتبيرج، زيورخ؛ أناقةٌ إمبراطورية: المنسوجات الصفوية من متحف الفن الإسلامي، الدوحة، ١٨ ديسمبر ٢٠٢١ – ١٥ مايو ٢٠٢٢، معرض آرثر م. ساكلير، المتحف الوطني للفن الآسيوي، واشنطن العاصمة.

٣٠
قطعة نسيج عليها زهور وردية وحمراء وزرقاء

إيران، حوالي ١١١١-١١٣٤ هـ/١٧٠٠-١٧٢٢ م
حرير وخيوط ملفوفة بأسلاك معدنية ثمينة
٤٤ × ٣٤,٧ سم
متحف الفن الإسلامي، الدوحة، MIA.2014.282

يعود هذا النسيج المحفوظ جيداً إلى حوالي مئة عام بعد قيام الشاه عباس بإصلاح نظام تجارة الحرير، وهو يُثبت براعة النساجين الصفويين ومهارتهم التي استمرت طويلاً. يتميّز هذا النسيج بنمط الزهور المرسومة بعناية والمرتبة داخل تعريشة مقنطرة خضراء، فيجمع بين الخطوط التجريدية والشعور بالطبيعة. وبينما تشكل الخيوط الحريرية سداة النسيج، تم نسج أرضيته بالكامل تقريباً بخيط مغلف بالمعدن يضفي عليه تأثيراً لامعاً. يتمتع النسيج بملمس غنيّ، مما يشير إلى أنه قد استُخدِم لصنع معاطف أو أردية شرف ثمينة. كان هذا النوع من المنسوجات الحريرية المقصّبة بالذهب، المعروف باسم الزربافت باللغة الفارسية، والذي اشتهرت به الورش الملكية في أصفهان بشكل خاص، هو الأغلى وعليه الطلب الأعلى من بين جميع المنسوجات التي أنتجها النساجون الصفويون، وهو يشبه إلى حد كبير النسيج الذي يرتديه الرجل في الكتالوج ١٩.

عُرضت في
أناقةٌ إمبراطورية: المنسوجات الصفوية من متحف الفن الإسلامي، الدوحة، ١٨ ديسمبر ٢٠٢١ - ١٥ مايو ٢٠٢٢، معرض آرثر م. ساكلير، المتحف الوطني للفن الآسيوي، واشنطن العاصمة.

٢١

شاب يتكئ على وسادة

منسوبة إلى رضا عباسي (٩٧٢-١٠٤٤ هـ/١٥٦٥-١٦٣٥ م)
إيران، أصفهان، ١٠٢٩-١٠٣٩ هـ/١٦٢٠-١٦٣٠ م
ذهب وحبر وألوان مائية غير شفافة على ورق
٣٢ × ٢٧ سم
متحف الفن الإسلامي، الدوحة، MIA.2014.52

تتفرّد الأزياء الصفوية باستخدام طبقات القماش بذكاء، وجمع الألوان والأنسجة بأناقة، وهي ميزة استمرّت طوال مئتي عام من تاريخها. تتيح لنا الرسومات من ذلك العصر متابعة تطور الموضة، مع إبراز نقاط الاختلاف والتشابه بين ملابس الذكور والإناث، والتغيرات في الذائقة الجمالية وجاذبية الأزياء الصفوية خارج حدود الدولة الصفوية (مثال ص. ١٣٧). في الرسمين MS.235.2002 وMIA.2014.52 (ص. ١٣٣)، والتي يُحتمل أن يكون أحدهما نسخة عن الآخر، تتخذ الشخصيتان المصوّرتان وضعيّة مريحة، في ملابس غنية بالزخرفة، فتجسّد الرقيّ المقارِب حد الوهن الذي بلغته النخب الصفوية عقب وفاة الشاه عباس وفي ظل خليفته الشاه صفي (حكم ١٠٣٨-١٠٥٢ هـ/١٦٢٩-١٦٤٢ م). يرتدي الشابان معاطف طويلة مزيّنة بتطريز دقيق لأغصان نباتية إلى جانب الطيور المغردة والسحب والزهور المتفتحة. ويعلو رأسيهما عمائم كبيرة مربوطة بأشرطة، وإحداها مزينة بريشة.

شاب متكئ مع زجاجة وكأس

إيران، أصفهان، حوالي ١٠٤٠ هـ/١٦٣٠ م
ذهب وحبر وألوان مائية غير شفافة على ورق
٣١ × ١٩,٢ سم
متحف الفن الإسلامي، الدوحة، MS.235.2002

يظهر الشابان في اللوحتين MS.235.2002 وMIA.2014.52 (ص. 129) وهما يجلسان في الهواء الطلق، ويضعان الذراع اليمنى على وسائد فاخرة، وكأنهما في محادثة مع رفاق غير ظاهرين في الصورة. ويشير تحليل الخطوط ورسوم الجسم إلى أنامل الفنان رضا عباسي. ويحتوي الرسم MS.235.2002 في الجزء السفلي من اللوحة على نقش ممحي بالكامل تقريباً "رسمه العبد الفقير..."، وهي صيغة تتكرر في توقيعات رضا. يشتهر رضا عباسي بلوحاته التي تتميز بالخطوط الانسيابية والوضعيات الحسية الأنيقة لشخصياته، فهو سيد الرسم الفارسي العظيم الذي أحدث تحولاً كاملاً في الفن التصويري في إيران باعتباره رسام البلاط الرسمي للشاه عباس.

أمير وأميرة يتعانقان

أوزبكستان، بخارى، حوالي ٩٥٧–٩٦٠ هـ/١٥٥٠ م
ذهب، حبر وألوان مائية غير شفافة على ورق
معرض آرثر م. ساكلر، المتحف الوطني للفنون
الآسيوية، واشنطن العاصمة، S1986.301

شاب يجلس بين أغصان شجرة مزهرة

إيران، ربما قزوين، حوالي ٩٦٧–٩٧٨ هـ/١٥٦٠–١٥٧٠ م
ذهب، حبر وألوان مائية غير شفافة على ورق
معرض آرثر م. ساكلير، المتحف الوطني للفنون
الآسيوية، واشنطن العاصمة، S1986.299

ای سوخته صد ره دلم از داغ جدایی
با عاشق دلسوخته خود به ازین باش
پیوسته جفا خوش نبود بلکه وفا نیز
وای جان ما اگر بینیم بار دیگرش
سوخت جامی ز آتش هجر و برآمد سالها
همچنان بوی وفا می آید از خاکسترش

٢٢
فتاة تلبس رداء طويلاً مقصّباً

بتوقيع رضا عباسي (٩٧٢–١٠٤٤ هـ/١٥٦٥–١٦٣٥ م)
إيران، أصفهان، بتاريخ ١٠٣٤ هـ/١٦٢٤ م
ذهب وحبر وألوان مائية غير شفافة على ورق
٣٢٫٢ × ٢٠٫٥ سم
متحف الفن الإسلامي، الدوحة، MIA.2014.307

تتمايل هذه الأنثى الأنيقة بخفة وسط منظر طبيعي من الفروع الورقية المطلية باللون الذهبي، وهي مثال نموذجي عن لوحات رضا عباسي. نأى رضا عباسي بنفسه عن تقليد تصوير الملاحم والشعر الرومانسي، واستحدث أسلوباً جديداً يصوّر شخصيات كبيرة الحجم في أماكن غير واضحة وفي الهواء الطلق، إما وقوفاً أو جلوساً في وضعيات مسترخية. ترتدي المرأة رداء مقصّباً بدرجةٍ رائجة من اللون الأرجواني مع نمط كبير الحجم من الفروع النباتية والطيور المغردة. ثُبّت هذا الرداء من الأمام فوق ثوبٍ داخلي خفيف، وكلاهما يتميز بفتحات واسعة من الأمام لتسهيل عملية الرضاعة. كما أنها ترتدي حجاباً أخضر مسحوباً على كتفها الأيسر. ارتدت النساء الصفويات مجموعة متنوعة من أغطية الرأس بدءاً من الأقمشة المربعة الصغيرة (شهر قد) المثبتة بأشرطة وصولاً إلى نوع الحجاب الطويل الذي يظهر في هذه اللوحة. يتم تثبيت الحجاب في مكانه بشريط برتقالي ومزيّن بريشةٍ سوداء صغيرة، وتحيط بوجه المرأة سلسلة من اللؤلؤ، وهي حلية غالباً ما تزينت بها النساء الصفويات من الطبقة الرفيعة.

عُرضت في
بناء مجموعتنا الفنية: المرقعات الصفوية والمغولية، ١٧ سبتمبر ٢٠١٤ – ١٤ فبراير ٢٠١٥، متحف الفن الإسلامي، الدوحة.

٢٣
شاب يحمل دَوْرَقاً

منسوبة إلى رضا عباسي (٩٧٢–١٠٤٤ هـ/١٥٦٥–١٦٣٥ م)
إيران، أصفهان، بتاريخ ١٠١٨ هـ/١٦٠٩ م
ذهب وحبر وألوان مائية غير شفافة على ورق
٣٥,٣ × ٢٢,٥ سم
متحف الفن الإسلامي، الدوحة، MIA.2014.310

يرتدي هذا الشاب سترة قصيرة مطرزة من الحرير الأخضر وطية صدر ذهبية مثبتة بأزرار ذهبية، وسروالاً مدبباً ذهبياً مزيناً بكثافة، وغطاء رأس مزيناً بفراء خراف الكاراكول. باختصار: إنه يرتدي بعضاً من أفضل الملابس الصفوية وأغلاها في عصره. وتوحي وقفته المتنبهة، ممسكاً بقارورة خزفية ذات حافة معدنية ومقبض، بأنه قد يكون غلاماً في منزل أحد أثرياء أصفهان، فقد كان يحدث أن يرتدي الغلمان الخدم أحياناً ملابس فاخرة للمباهاة بثروة أسيادهم. ومع ذلك، يستحيل علينا معرفة ما إذا كان الشبّان المصورون في هذه اللوحات والعديد من اللوحات الأخرى يمثلون أفراداً حقيقيين يسيرون في شوارع أصفهان، أو نماذج مثالية تعرض المعايير الجمالية للمجتمع الصفوي. مثل العديد من الأمثلة الأخرى (انظر الكتالوجين ٢١ و٢٤)، تم لصق هذه الصورة على صفحة أحد الألبومات، مؤطرة بسلسلة من الأبيات الشعرية. وقد كان للشعر الصفوي فائدة عظيمة في تقديم أوصاف عاطفية للمنسوجات المتلألئة.

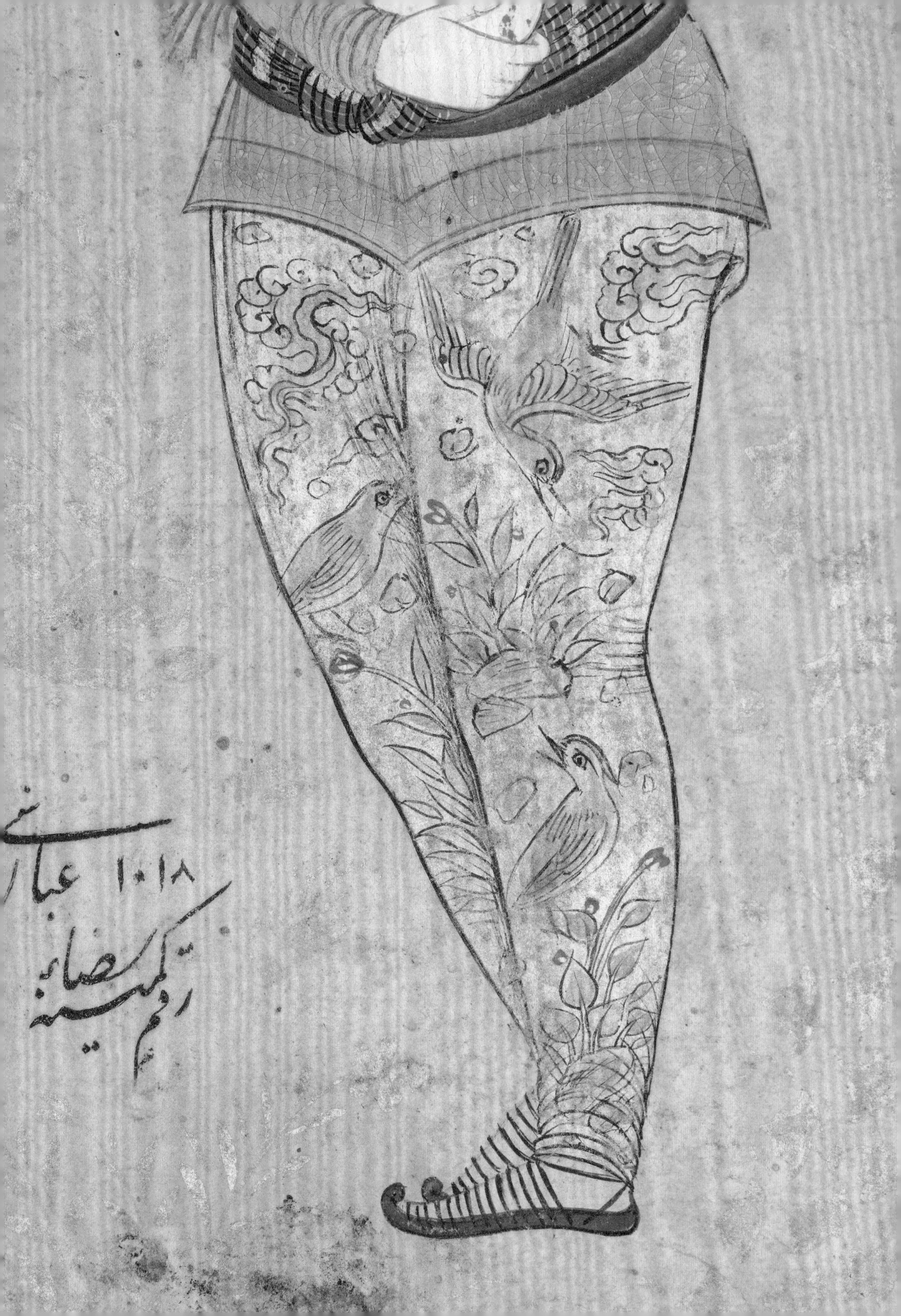

رقم کمینه رضا
۱۰۱۸

٢٤
شاب يرتدي قبعة مدببة وسترة لها حافة من الفراء

منسوبة إلى محمد قاسم (نشط حوالي ١٠٠٨ – توفي ١٠٦٩ هـ/ ١٦٠٠ – توفي ١٦٥٩ م)
إيران، أصفهان، ١٠٣٩-١٠٤٩ هـ/١٦٣٠-١٦٤٠ م
ذهب وحبر وألوان مائية غير شفافة على ورق
٣٢،٨ × ٢٢،١ سم
متحف الفن الإسلامي، الدوحة، MIA.2014.281

تعبّر هذه اللوحة عن روحية روّاد الأزياء الأثرياء في أصفهان. يرتدي الشاب قبعة مستدقة الشكل وسترة حريرية مقصبة ومزينة بالفراء تتدلى بشكل عرضي من كتفه الأيسر ومشدودة فوق ذراعه العلوي الأيمن. تنسدل السترة بانسياب، ما يعطي هذا الشاب مظهراً وسيماً وواثقاً. كما أنه يرتدي معطفاً طويلاً بدرجةٍ بنفسجية ناعمة، وهو لون حظي بشعبية خاصة لدى الزبائن الصفويين وتم تداوله بكثرة في السوق الداخلية وسوق التصدير. تظهر من تحت الرداء جوارب صفراء فضفاضة، توحي ثنياتها بأنها مصنوعة من مادة رقيقة. ويأتي النعلان البيضاوان بالكعب ليكملا المظهر. وقد تأثر المسافرون والتجار الأوروبيون في ذلك العصر أيّما تأثر بالأحذية والنعال الصفوية ذات الكعب، وما لبثت أن شقّت طريقها إلى أوروبا من خلال السوق الدولية، حتى أصبحت عنصراً أساسياً من الأزياء الأوروبية. يحمل الرجل أيضاً سيفاً طويلاً وكيساً صغيراً مصنوعاً من نسيج أزرق بنمط منقط ذهبي، معلّقاً عند خصره، ولربما كان متدلياً من حزام جلدي رفيع أو وشاح من القماش مغطى بالسترة.

عُرضت في
بناء مجموعتنا الفنية: المرقعات الصفوية والمغولية، ١٧ سبتمبر ٢٠١٤ – ١٤ فبراير ٢٠١٥، متحف الفن الإسلامي، الدوحة.

۳۴

٢٥

مقلمة عليها صورة أمير وأميرة، مع أفراد من الحاشية وموسيقيين

رسم محمد زمان (نشط ١٠٥٩-١١١٦ هـ/١٦٤٩-١٧٠٤ م)
إيران، أصفهان، بتاريخ ١١٠٩ هـ (١٦٩٧ م)
ورنيش
٦,٦ × ٣٢,٥ × ٨,٣ سم
متحف الفن الإسلامي، الدوحة، MIA.2014.17

يُظهر غطاء المقلمة هذا أميراً وأميرةً في حلل فاخرة بين أحضان الطبيعة الغنّاء، برفقة فردين من أفراد الحاشية: جارية تحمل كوباً مرصعاً بالجواهر وإبريقاً زجاجياً رقيقاً، ورجلاً يقرأ الشعر من مخطوطة "سفينة" (مخطوطة طولانية الشكل). على اليمين ثلاثة موسيقيين. وتفيد مثل هذه الصور في إعطاء من يراها اليوم لمحة عن كيفية ارتداء الحرير الصفوي في السابق. يرتدي الزوجان أردية حريرية شديدة التقصيب بأنماط زهرية دقيقة تعلو الأثواب الداخلية الملونة. تحت رداء السيدة الأحمر، يمكننا رؤية سروال أنيق يضيق في الأسفل مزيّن بقطع نسيجية مطرزة مخططة ومخيطة بشكل قطري؛ ويكتمل الزي بوشاح حريري ملفوف حول رأسها. يرتدي رفيقها الأمير معطفاً يبدو أن أطرافه من فرو المنك فوق قميص يطابق حجم الجسم مربوط على الجانب الأيمن، وتعلو رأسه قبعة مبطنة بالفراء. يرتدي الحاضرون ملابس مشابهة، مشدودة بأحزمة كبيرة مقصبة راجت في عهد الشاه عباس. يرتدي الموسيقيون ملابس أبسط ولكنهم يعتمرون عمائم بديعة مصنوعة من الحرير المطرز والمخطط والمطبع بالمربعات. يحتوي الجزء الداخلي من المقلمة على رسومات أيضاً تُظهر مشهد صيد. ذُيّلت هذه المقلمة بتوقيع "يا صاحب الزمان" الذي يشير إلى الإمام الشيعي الثاني عشر، وهو يُنسب إلى الرسام الصفوي محمد زمان، المشهور بلوحاته المستوحاة من أوروبا والتي تغلب عليها المشاهد الخارجية الليلية. غطاء المقلمة مطلي من الجهتين الداخلية والخارجية.

نُشرت في

ديبا واختيار (١٩٩٩)، Royal Persian Paintings، ص. ١٢١-١٢٢، الشكل. ١٢؛ شخاب-أبودية وسوبرز-خان (٢٠١٦)، القاجاريات، ص. ١٧

عُرضت في

اللوحات الملكية الفارسية: عصر القاجار ١٧٨٥-١٩٢٥، ١٣ أكتوبر ١٩٩٨ - ٣٠ سبتمبر ١٩٩٩، متحف بروكلين، بروكلين؛ القاجاريات، ٨ أبريل ٢٠١٥ - ١١ يونيو ٢٠١٦، متحف الفن الإسلامي، الدوحة

ملحق

الخصائص الفنية
لمنسوجات مختارة من المعرض

تاتيانا زدانوفا

قدّم المعرض قطعاً مختلفة تستند إلى أنواع الأقمشة الرئيسة الثلاثة المنتجة في إيران الصفوية: الأقمشة المقصّبة بالذهب والفضة المعروفة أيضاً باسم "الأقمشة ذات الخلفية المعدنية"؛ والحرير مزدوج الوجه؛ والمخمل المفرّغ. ولغرض هذا البحث الموجز، اختيرت ثلاث عشرة قطعة من هذه المنسوجات، مجمَّعة حسب تقنية النسج، مع بيان أهم مميزات كل قماشة. وتبيّن الجداول ١–٣ أنواع خيوط السداة واللحمة في كل منها. يحتوي هذا الكتالوج على ستّ من هذه الأقمشة.

الأقمشة ذات الخلفية المعدنية

هي أكبر مجموعة اختيرت للتحليل الفني. من الناحية الهيكلية، تنقسم هذه القطع إلى مجموعتين فرعيتين: النسيج القطني الطويل (التويل) المركب ذو وجه اللحمة، والنسيج المركب ذو وجه اللحمة أو "تاكيتي" مع لحمات تكميلية (الرسمان ١–٢). تتكون الأرضية من لحمة من الخيوط المغلّفة بالمعدن ، بينما تُستخدم لحمة الحرير لصنع التصميم. بحسب النمط المنشود، يتم شبك اللحمة بترتيب النسج السادة أو التويل أو باستخدام تقنية الطفو فوق طرفي سداة أو أكثر (الرسمان ٣–٥). وفي بعض الأحيان يُقرن الخيط المعدني بالخيط الحريري لتشكيل التصميم. تحتوي المنسوجات على نوعين من السداة (الداخلية والمثبّتة)، ولحمة مكونة من سلسلتين أو أكثر من الخيوط. تتكون الحواف من حبل أو حبلين مخيطين باللحمات (الرسم ٦).

حرير مزدوج الوجه

تتكون المجموعة الثانية من ثلاث منسوجات: MIA.2013.159، MIA.2013.158 وMIA.2014.268 (الرسم ٧)، تشترك في الخصائص التقنية نفسها: نسيج لحمة مزدوجة الوجه مع لحمات تكميلية بأربعة إلى خمسة ألوان. وتتشابك السداة المثبّتة مع البنية لتعطي النسيج السادة. بالنسبة للسداة الداخلية، فهي في المجال الرئيسي مجمّعة كل ثلاثة خيوط وخيطين، أما في الشريط، فيتم تجميع

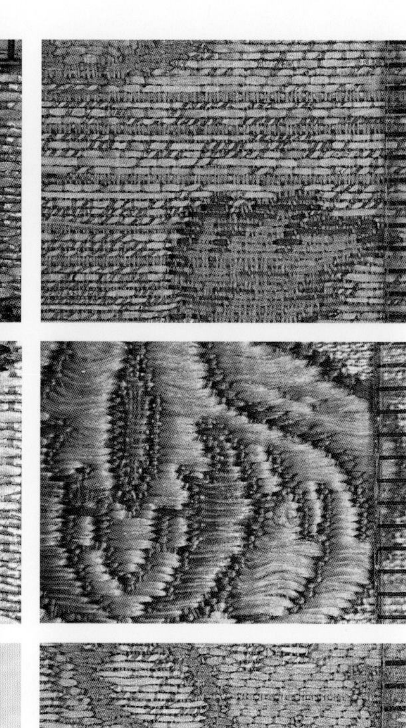

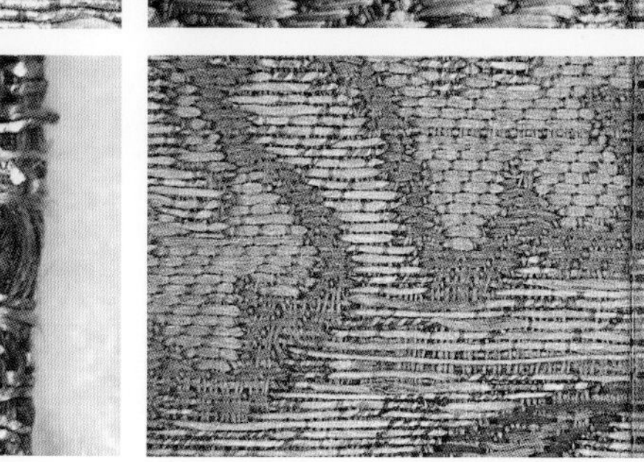

الرسم ١
MIA.2014.305، أساس تويل

الرسم ٢
MIA.2014.270، أساس سادة

الرسم ٣
MIA.2014.537(كتالوج ٣)، لحمة عائمة

الرسم ٤
MIA.2014.270، لحمة نمط مثبتة على شكل النسيج السادة

الرسم ٥
MIA.2014.305، لحمة نمط بترتيب التويل

الرسم ٦
MIA.2014.537 (كتالوج ٣) الحافة

أربعة خيوط بنسبة ٣/٢ من السداة الرئيسة إلى سداة ربط واحد (الرسم ٩). يتكون نسج الحواف من حبلين وحبل واحد مخيَّط باللحمة (الرسم ١٠). ومع أن المادة الرئيسة في ثلاثتها هي الحرير، إلا أنها لا تخلو من الاختلافات. فقد تم تعزيز MIA.2013.158 بخيوط معدنية مكونة من شرائط معدنية فضية ومذهبة ملفوفة حول قلوب من الحرير الأبيض والأصفر. MIA.2014.268 ففيها لحمة قطنية (الرسمان ١١–١٢). وقد تم تنفيذ الشرائط الزخرفية الضيقة بنسيج عادي سادة مع سداة مجمّعة بأربعة خيوط (الرسم ٨). إن وجود طرفي الحافتين (خيطين وواحد مخيطة باللحمة) على المنسوجات يحسم عرض النول: ٩٠,٥ سم لـ MIA.2013.158؛ ٥٩,٥ سم لـ MIA.2013.159؛ و٧١,٥ سم لـ MIA.2014.268.

المخمل المفرّغ

تتمثل المجموعة الثالثة والأخيرة بثلاثة قطع: و TE.9.1998.1 TE.204.2010 TE.206.2010. بالنسبة إلى النسيج الأساسي، الساتان ذو وجه اللحمة ٤/١ المغطى بلحمات من الخيوط المعدنية المنفذة بترتيب تويل IS٤ وIZ٤، فهو

الرسم ٧
MIA.2014.268 (كتالوج ٦) الجهة الأمامية والخلفية.

الرسم ٨
MIA.2014.268 (كتالوج ٦) الشريط: السداة المجموعة بأربعة خيوط.

الرسم ٩
MIA.2013.159، سداة داخلية مجمّعة بخيطين وثلاثة خيوط.

الرسم ١٠
MIA.2013.158، الحافة

الرسم ١١
MIA.2013.158، خيط مغلّف بالمعدن.

الرسم ١٢
MIA.2014.268 (كتالوج ٦) لحمة قطنية

متشابه في أنواع المخمل الثلاثة ولكن اختيار الخيوط المعدنية يختلف. الجهة الأمامية من أساسات TE.9.1998 وTE.206.2010 مغطاة بشرائط معدنية مذهبة (الرسمان ١٣ و١٥)، باتت الآن مشوهة ومتضررة بشدة، كما تم تقصيب أساس TE.204.2010 بخيط مغلف بالمعدن المذهّب (الرسم ١٤). وقد استُخدمت حلقات خيط معدني بشكل انتقائي للحصول على تفاصيل صغيرة (الرسم ١٧). تشكل الكومة المقطوعة نمطاً. تختلف حواف القطع قليلاً من حيث العرض وكثافة السداة واللون. وقد تم نسج الحواف بنسج الساتان مع سداة مقرونة لا تخفي اللحمات. يبلغ عرض حافة TE.204 عشرة مليمترات وهي منسوجة بالساتان ٣/١ (الرسم ٢٠)، بينما نُسجت حافة TE.9.1998 بالساتان ٤/١ (الرسم ١٩). يحتوي TE.9.1998 على حافتين محفوظتين، حافة جانبية بعرض ١٢ ملم وحافة علوية بعرض ٦ ملم. الحافة العلوية منسوجة بنمط التويل IZ٤ مع لحمات مقرونة (الرسم ١٨). تشتمل الحافة العلوية على أربع لحمات ملونة (الأبيض والأصفر والأزرق والبني الداكن)، بينما تشتمل حافة الحاشية على السداة الزرقاء فقط. لسوء الحظ، لا يمكن الوصول إلى حواف TE.206.2010 لأنها مطوية ومخيطة على لوح (الرسم ١٦).

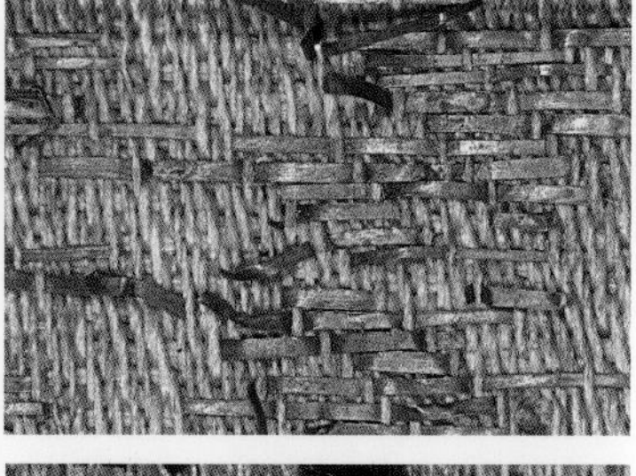

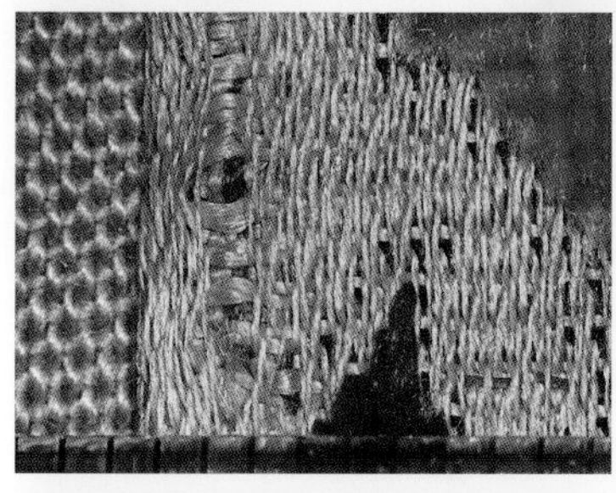

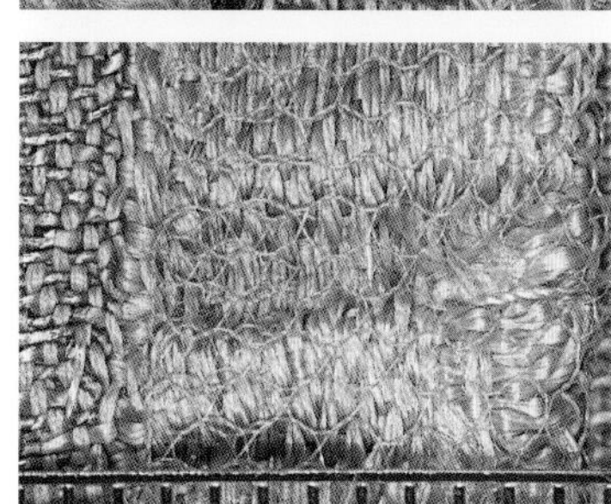

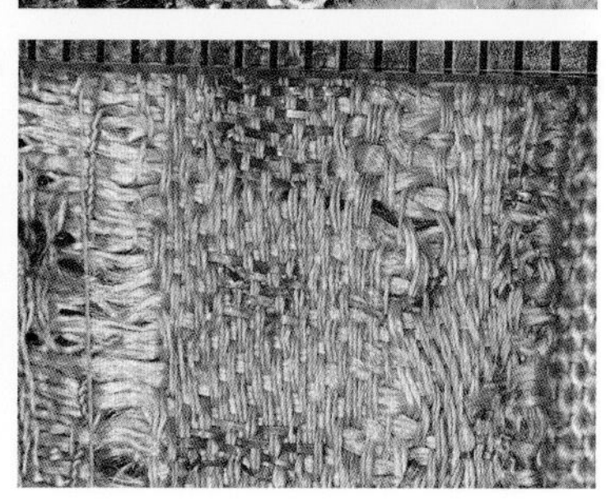

الرسم ١٣
TE.9.1998.1، الأساس: قطع من الشريط المعدني

الرسم ١٤
TE.204.2010 (كتالوج ١٠) الأساس

الرسم ١٥
TE.206.2010(كتالوج ٤) الأساس: قطع من الشرائط المعدنية

الرسم ١٦
TE.206.2010 (كتالوج ٤) الحافة المطويّة.

الرسم ١٧
TE.9.1998 (كتالوج ١٣) حلقات من اللحمات الإضافية.

الرسم ١٨
TE.9.1998 (كتالوج ٥) الطرف العلوي.

الرسم ١٩
TE.9.1998، حافة

الرسم ٢٠
TE.204.2010، حافة

١ يصف مصطلح "القماشة ذات الخلفية المعدنية" عدداً كبيراً من الأقمشة التي تتضمن خيوطاً ذات رقائق معدنية أو خيوطاً مغلفة بالمعدن. سونداي، ميلتون، 'Patterns and Weaves: Safavid Lampas and Velvet' في *Woven From the Soul, Spun From the Heart: Textile Arts of Safavid and Qajar Iran, 16th–19th Centuries*، تحرير. بيير، كارول، واشنطن العاصمة: متحف النسيج، ١٩٨٧، ص.٥٧–٥٨.

٢ مصطلحات "المخمل المفرّغ"، "قطع القماش من الذهب أو الفضة"، "الحرير مزدوج الوجه" تم اقتراحها من قبل المركز الوطني لدراسة المنسوجات القديمة (CIETA) في *Vocabulary of Technical Terms*. منشور على الأنترنت /https://cieta.fr English-/07/wp-content/uploads/2021 Vocabulary_26July.pdf، ص.٧٨، ١٢ و١٩ على التوالي.

٣ تم التقاط صور مجهرية لألياف النسيج وبنية القماش بمساعدة المجهر الضوئي المستقطب Leica DM27000P والمجهر المجسم Leica M70.

٤ تقترح CIETA مصطلح "Taqueté" لتقنية النسيج المركب ذو الوجه اللحمي. مفردات المصطلحات الفنية، ص. ٧١

٥ الخيط المغلّف بالمعدن هو عبارة عن خيطٍ من الحرير أو الكتان الرقيق مغلّفٍ بشريط رقيق من الذهب أو الفضة. انظر أ. كاراتزاني، Metal 'Threads: The Historical Development، في *Textiles and Dress in Greece and the Roman East: A Technological and Social Approach*، تحرير تزاكيلي، إ، وزيمي، إ. أثينا، منشورات براغماتا، ٢٠١٢، ص.٥٥.

٦ يرد وصف عملي لمبادئ النسيج ذي الوجهين في كتاب جون بيكر، النموذج والنول: *Pattern and Loom: A Practical Study of the Development of Weaving Technique in China, Western Asia and Europe*. كوبنهاغن: رودس، ١٩٨٧؛ أعيد طبعه عام ٢٠٠٩، ص. ١٩٢.

٧ تشبه الخصائص التقنية لـ TE.204.2010 و TE.206.2010 أجزاء النسيج من مجموعة متحف النسيج في واشنطن؛ انظر: بيير، كارول، تحرير، *Woven From the Soul, Spun From the Heart: Textile Arts of Safavid and Qajar Iran, 16th–19th Centuries*، واشنطن العاصمة: متحف النسيج، ١٩٨٧، ص. ١٤٠ و١٥٣ على التوالي.

٨ أظهر تحليل عناصر المنسوجات الصفوية في مجموعة برانتلي، الذي أجري في جامعة أوبورن في التسعينيات، وجود الفضة وطبقة رقيقة جداً من الذهب، بالإضافة إلى المواد المضافة في بعض الحالات. عادةً ما تتآكل الطبقة الذهبية الموجودة أعلى الشرائط الفضية، مما يترك الفضة مكشوفة فتتأكسد وتتحول إلى اللون الأسود. يشير اللون الأصفر الخاص بلحمة الأساس والسداة أيضاً إلى أن الشريط المعدني كان في الأصل ذهبي اللون. انظر هاردن، إيان ر، ودوفيلد، فرانسيس ج. 'Microanalysis of Persian Textiles'، الدراسات الإيرانية ٢٥/١–٢ (١٩٩٢)، ص.٤٣ إلى ٥٩.

٩ الطبقة السميكة السوداء هي نتيجة اجتماع الشوائب وانخفاض تركيز الذهب والتعرّض للأضرار الميكانيكية. انظر نورد، أندرس ج، وترونر، كيت، '"A note on the analysis of gilded metal embroidery threads"', *Studies in Conservation*, ٤٥/٤ (٢٠٠٠)، ص. ٢٧٤–٢٧٩.

الجدول 1. الأقمشة ذات الخلفية المعدنية

البنية	المميزات	MIA.2014.31	MIA.2014.270	MIA.2014.280	MIA.2014.282	MIA.2014.305	MIA.2014.530	MIA.2014.537
السداة الداخلية	الالتواء	Z	Z	Z	Z	Z	Z	Z
	ø/mm	٠,١٣–٠,٢٦	٠,١٤	٠,١٦–٠,٢	٠,٢–٠,٢٦	٠,٢٥	٠,١٦–٠,٢٣	٠,١٥–٠,١٩
	العدد/سم	٣٥–٣٦	٦٤	٣٢–٣٤	٣٠–٣٢	٣٨	٣٦	٦٠
	اللون	برتقالي	برتقالي	كريمي	برتقالي	برتقالي	أبيض	أزرق، أحمر
السداة المثبتة	الالتواء	Z خفيف	Z	Z	Z	Z	Z	Z
	ø/mm	٠,١٣–٠,٢٦	٠,١–٠,٢	٠,١٣–٠,٢٦	٠,١٨–٠,٢٧	٠,١٥–٠,٢١	٠,١٦–٠,٢٣	٠,١٦–٠,٢٠
	العدد/سم	٣٥–٣٦	١٦	١٦–١٧	١٥–١٦	٣٨	٣٦	٣٠
	اللون	برتقالي	برتقالي	رمادي	برتقالي	برتقالي	أبيض	أبيض
	معدل السداة المثبتة/ السداة الداخلية	١:١	١:٤	١:٢	١:٢	١:١	١:١	١:٢
لحمة الأساس: الخيوط المغلفة بالمعدن	التواء الشريط المعدني	S	S	S	S	S	S	S
	الخيط ø/mm	٠,١٦–٠,٢٣	٠,١٦–٠,٢	٠,٢١–٠,٣	٠,٢–٠,٤	٠,٢–٠,٤	٠,١٧–٠,٢١	٠,١٧–٠,٢١
	عرض الشريط المعدني/مم	٠,٢–٠,٢٣	٠,٢–٠,٢٩	٠,٢١–٠,٤٧	٠,٣٣–٠,٤٦	٠,٢	٠,٠٨–٠,١٣	٠,٠٨–٠,١٢
	عدد الخيوط/سم	٣٤–٣٥	٤٤–٤٥	٣٦–٣٧	٤٠	٢٨	٤٠	٣٠
	1. قلب فضي/ أبيض 2. قلب مذهّب/ أصفر	٢	١	١	٢	١	١	١
نمط اللحمة: خيط حريري (متواصل)	الالتواء	غير ظاهر	غير ظاهر	غير ظاهر	غير ظاهر	غير ظاهر	غير ظاهر	غير ظاهر
	ø/mm	٠,١٦–٠,١٩	٠,٢–٠,٣٣	٠,١٩–٠,٢٨	٠,٢١–٠,٢٦	٠,٣٣	٠,١٦–٠,٢١	٠,٢–٠,٤
	العدد/سم	٤٠	٤٧–٥٢	٣٤–٣٥	٣٨–٤٠	٣٠	٤٠	٣٠
	اللون	أبيض، أصفر، لون القرنفل، المرجان، أحمر، أزرق، أزرق فاتح	بيج، أصفر، زهري، بيج فاتح، أخضر فاتح، أزرق-أخضر	أصفر فاتح، أصفر، زهري، أحمر، أخضر	أبيض، قرمزي، برتقالي، أحمر، بيج، زهري، بنفسجي، أخضر، أزرق متوسط، أزرق فاتح	أبيض، كريم، أصفر، برتقالي، أزرق، متوسط، فيروزي، أخضر، بني فاتح	أبيض، برتقالي-أحمر، أصفر، برتقالي فاتح، أخضر، أزرق فاتح، أزرق	زهري، أحمر، أزرق فاتح، أزرق، أصفر
نمط اللحمة: خيط مغلّف بالمعدن (متقطع)	الالتواء	-	-	-	-	-	-	S
	ø/mm	-	-	-	-	-	-	٠,١٥–٠,٢٤
	عرض الشريط المعدني/مم	-	-	-	-	-	-	٠,١٦–٠,٢٤
	العدد/سم	-	-	-	-	-	-	٢٦
	اللون	-	-	-	-	-	-	شريط مذهّب، قلب أصفر
النسيج	الأرضية	تويل: IS٤ من الجهة الأمامية؛ IZ٤ من الجهة الخلفية	سادة	سادة	سادة	تويل IZ٣ من الجهة الأمامية. سادة من الجهة الخلفية.	تويل IS٤ من الجهة الأمامية. سادة من الجهة الخلفية.	سادة
	النمط	لحمة عائمة	سادة	سادة	سادة	IZ٣ تويل من الجهة الأمامية. سادة من الجهة الخلفية.	لحمة عائمة	لحمة عائمة

الجدول ١. الأقمشة ذات الخلفية المعدنية

البنية	مميزات الخيط	MIA.2013.158	MIA.2013.159	MIA.20142.268
السداة الداخلية (حرير)	الالتواء	Z	S وZ	Z وS
	ø/mm	٠,١١–٠,١٧	٠,١–٠,٢	٠,١
	عدد الخيوط/سم	٦٤–٦٨	٤٠–٤٢	٤٧–٤٨
	اللون	أخضر، بني، أحمر	أسمر	أسمر
السداة المثبتة	الالتواء/الطيّة	خفيفة/مفرد Z	SوZ/مفرد	Z وS/مفرد
	السماكة	٠,١٥–٠,٢٥	٠,١٣–٠,٣٠	٠,١–٠,١٦
	العدد	١٦–١٨	١٦	١٦
	اللون	أحمر	أسمر	أسمر
اللحمة: حرير	الالتواء/الطيّة	غير ظاهر	غير ظاهر	غير ظاهر
	السماكة/مم	٠,٣٥	٠,٢٥–٠,٣٣	٠,٢٢–٠,٤٥
	عدد الخيوط/سم	٣٢–٣٦	٣٢–٣٤	٢٨–٢٩
	اللون	أبيض، أحمر، أصفر، رمادي	أبيض، أحمر، أصفر، أخضر، بني داكن	أبيض، أصفر، أخضر، بني داكن، أزرق
اللحمة: قطن	الالتواء/الطيّة	-	-	Z وS مفرد
	السماكة	-	-	٠,١٨–٠,٥٩
	العدد	-	-	٣٠–٣١
	اللون	-	-	غير مصبوغ/أسمر
اللحمة: الخيط المغلّف بالمعدن	التواء الشريط المعدني	S	-	-
	سماكة الخيط/مم	٠,٢–٠,٢٥	-	-
	عدد الخيوط/سم	٤٠–٤٢	-	-
	اللون	قلب من الحرير الأبيض/ شريط فضي قلب من الحرير الأصفر/ شريط مذهّب	-	-

الجدول 3. المخمل المفرّغ

البنية	مميزات الخيط	TE.9.1998.1	TE.204.2010	TE.206.2010
سداة الأساس	الالتواء	Z	Z	S
	ø/mm	٠,١–٠,١٥	٠,١٦–٠,٢٢	٠,١–٠,١٣
	العدد/سم	٤٠–٤٢	٢٦ نهاية	٤٨ نهاية
	اللون	أصفر خفيف	أصفر	أصفر
الكومة	الالتواء	Z خفيف	Z خفيف	لا التواء
	السماكة	٠,٢٨–٠,٣٠	٠,٢٨–٠,٣٠	٠,٢
	العدد/سم	أفقي: ١٤–١٥ وحدة من الكومات عمودي: ١٢–١٣ وحدة من الكومات	أفقي: ١٤–١٥ وحدة من الكومات عمودي: ١٢–١٣ وحدة من الكومات	أفقي: ١٤–١٥ وحدة من الكومات عمودي: ١٢–١٣ وحدة من الكومات
	اللون	أبيض، أسود، أصفر، كاكي، مرجاني، بني محمرّ، أزرق فاتح، أزرق داكن، أرجواني	أبيض، أسود، أصفر، أحمر، أخضر فاتح، أزرق فاتح، أرجواني	أحمر، أزرق فاتح، أسود
لحمة الأساس	الالتواء	Z خفيف (مقرون)	لا التواء	لا التواء
	السماكة/مم	٠,١٦–٠,٢	٠,٢١–٠,٢٦	٠,١٩–٠,٢٣
	عدد الخيوط/سم	٢٦ زوج	-	٢٤ تمريرة
	اللون	أصفر فاتح	أصفر	أصفر
لحمة الوجه (متواصلة)	الخيط	شريط معدني	مغلّف بالمعدن، التواء S	شريط معدني
	السماكة/مم	٠,٢–٠,٣٣	خيط: ٠,٢–٠,٢٦ شريط الرقائق المعدنية: ٠,٢–٠,٢٣	٠,١٧
	العدد/سم	٣٠–٣١ تمريرة	٢٨ تمريرة	١٠ تمريرات
	اللون	شائب	قلب-شريط الرقائق المعدنية أصفر-مذهّب	شائب (يرجّح أنه كان مذهّباً)
لحمة يحلق (متقطع)	الخيط	مغلّفة بالمعدن-التواء S	مغلّفة بالمعدن-التواء S	-
	السماكة/مم	٠,٦	٠,٤–٠,٤٧	-
	اللون	قلب حريري-شريط ذو رقائق معدنية أصفر فاتح -شائب	قلب حريري-شريط ذو رقائق معدنية أبيض-شائب	-

فهرس

أكيرمان، فيليس، Ghiyath, Persian Master Weaver (١٩٣٣) *Apollo* 18/106، ص. ١–٥

أكيرمان، فيليس، A Biography of Ghiyath the Weaver, *Bulletin of the American Institute for Persian Art and Archaeology*, ٣/٧ (١٩٣٤) ص. ٩–١٣

محمد، آغا-أوغلو، *Safawid Rugs and Textiles: The Collection of the Shrine of Imām ʿAlī at al-Najaf*، نيويورك: مطبعة جامعة كولومبيا، ١٩٤١

الأزراقي، ماتيلد، The Influence of Powerful Eastern Women in England's Relationship with the East during the Early Modern Period (1570–1673)، *Actes des congrès de la Société française Shakespeare*، نشرت عبر الانترنت في ٥ فبراير ٢٠٢٢، http://journals.openedition.org/shakespeare/6583 (اطّلع عليها في ٨ يوليو ٢٠٢٣)

سوسان، بابي، *Isfahan and Its Palaces: Statecraft, Shiʿism and the Architecture of Conviviality in Early Modern Iran*، ادنبره: مطبعة جامعة ادنبره، ٢٠٠٥

سوسان، بابي وكاثرين بابايان وإينا باغديانتز ومكابي ومعصومة فرهاد *Slaves of the Shah: New Elites of Safavid Iran*، لندن: أي. ب. توريس، ٢٠٠٤

بابايان، كاثرين، The Safavid Synthesis: From Qizilbash Islam to Imamite Shiʿism، الدراسات الإيرانية ٢٧/١-٤ (١٩٩٤)، ص. ١٣٥–١٦١

باشيت أوليفييه وألان كارتييه، *Cartier: Objets d'exception*، مجلدان. باريس: باليه رويال، ٢٠١٩

باغديانتز ومكابي، إينا، Caucasian Elites and Early Modern State-Building in Safavid Iran' في *Les Arméniens dans le commerce asiatique* تحرير سوشيل شودوري وكيرام كيفونيان. باريس: Éditions de la Maison des sciences de l'homme، ٢٠٠٧، ص. ٩١–١٠٢

باغديانتز ومكابي، إينا، *The Shah's Silk for Europe's Silver: The Eurasian Trade of the Julfa Armenians in Safavid Iran and India, (1530–1750)*). فيلادلفيا: مطبعة جامعة بنسلفانيا، ١٩٩٩

بيكر، جون، *Pattern and Loom: A Practical Study of the Development of Weaving Techniques in China, Western Asia and Europe*، كوبنهاغن: رودوس انترناشونال بابليشرز، ١٩٨٧

بيلينجر، لويزا، Repeats in Silk-Weaving in the Near East', *Textile Museum Workshop Notes* ٢٤ (١٩٦١)، ص. ١–٤

بيير، كارول، *Woven from the Soul, Spun from the Heart: Textile Arts of Safavid and Qajar Iran, 16th–19th Centuries*، واشنطن العاصمة: متحف النسيج، ١٩٨٧

بورنهام، دوروثي *Warp and Weft: A Dictionary of Textile Term*. نيويورك: تشارلز سكريبنير وأبناؤه ١٩٨٠

كانبي، شيلا. ر، Pounces for Textiles or Pounces for Pictures? في *Safavid Art and Architecture*، تحرير شيلا ر. كانبي، لندن: مطبعة المتحف البريطاني، ٢٠٠٢

كانبي، شيلا. ر، *Shah ʿAbbas: The Remaking of Iran*. لندن: مطبعة المتحف البريطاني، ٢٠٠٩

كاري، مويا، *Meeting in Isfahan: Vision and Exchange in Safavid Iran*، دابلن: مكتبة تشيستر بيتي، ٢٠٢٢

المركز الدولي لدراسة الأنسجة القديمة، *Vocabulary of Technical Terms*، نسخة جديدة منشورة عبر الانترنت في ٢٠٢١

شاردان، جان بابتيست *Voyages de Monsieur le Chevalier Chardin, en Perse, et autres lieux de l'Orient*، ١٠ مجلدات. أمستردام: Chez Jean-Louis de Lorme, IVII

ديني، والتر ب.، Carpets, Textiles, and Trade in the Early Modern Islamic World. في *A Companion to Islamic Art and Architecture* تحرير فينبار باري فلود، وجولرو نيسيبوغلو. هوبوكين، نيوجيرسي: شركة جون وايلي وأبناؤه، ٢٠١٧، المجلد ٢، ص. ٩٧٢–٩٩٥

ديني، والتر ب.، Textile Art and Artistic Commerce in Seventeenth-Century Iran في/ *Bestowing Beauty: Masterpieces from Persian Lands – Selections from the Hossein Afshar Collection* تحرير إيميه فروم، نيو هافن ولندن: مطبعة جامعة ييل، ٢٠٢٠، ص. ٣٤–٤١

ديبا، ليلى س.، Clothing In the Safavid and Qajar periods، في *Encyclopædia Iranica*، المجلد ٥، كراس ٨، ص. ٧٨٥–٨٠٨، مدخلات محدثة منشورة عبر الانترنت، http://www.iranicaonline.org/articles/clothing-x (اطّلع عليها في ١١ يوليو ٢٠٢٣)

هيذير، إيكر، Cartier's Lexicon of Forms: Adapted from Islamic Art and Architecture في *Cartier and Islamic Art: In Search of Modernity*، نيويورك: تايمز وهادسن، ٢٠٢١، ص. ١٦١–٢١٩

إيلير، و.، م. بازين وس. برومبرغر ود. طومسون، Abrīšam' في *Encyclopædia Iranica*، المجلد ١، الكراس ٣، ص. ٢٢٩–٢٤٧، الإدخال المحدّث نُشر عبر الانترنت، https://www.iranicaonline.org/articles/abrisam-silk-index (اطّلع عليها في ٨ يوليو ٢٠٢٣)

إيردمان، كورت *Seven Hundred Years of Oriental Carpets*، تحرير هانا إيردمان وترجمة ماي هـ. بيتي وهيلديغارد هيروز. لندن: فابر أند غابر ليميتد، ١٩٧٩

فرهاد، معصومة وماريانا شريف سيمسون، Safavid Arts and Diplomacy in the Age of the Renaissance and Reformation في *A Companion to Islamic Art and Architecture*، تحرير فينبار باري فلود، وجولرو نيسيبوغلو. هوبوكين، نيوجيرسي: شركة جون وايلي وأبناؤه، ٢٠١٧، المجلد ٢، ص. ٩٣١–٩٧١

فيرير، رونالد و.، The Armenians and the East India Company in Persia in the Seventeenth and Early Eighteenth Century، *Economic History Review*, 2nd series, ٢٦/١ (١٩٧٣)، ص. ٣٨–٦٢

فيرير، رونالد و.، An English View of Persian Trade in 1618: Reports from the Merchants Edward Pettus and Thomas Barker في *Journal of the Economic and Social History of the Orient*, ١٩/٢ (١٩٧٦)، ص. ١٩٤

فيرير، رونالد و.، The European Diplomacy of Shah ʿAbbas I and the First Persian Embassy to England'، *Iran* ١١ (١٩٧٣)، ص. ٧٥–٩٢ و The Terms and Conditions under which English Trade was transacted with Ṣafavid Persia، *Bulletin of the School of Oriental and African Studies* ٤٩/١ (١٩٨٦) ص. ٤٨–٦٦

فلور، ويليام، *The Persian Gulf: A Political and Economic History of Five Port Cities 1500–1730*، واشنطن العاصمة: ماج (Mage)، ٢٠٠٦

فلور، ويليام، Commercial Relations between Safavid Persia and Western Europe في *Safavid Persia in the Ages of Empires*، تحرير شارل ميلفيل، لندن: أي. ب. توريس، ٢٠٢١، ص. ٢٦٧–٢٨٧

فلور، ويليام، وباتريك كلاوسون، Safavid Iran's Search for Silver and Gold، المجلة الدولية لدراسات الشرق الأوسط، ٣٢/٣ (٢٠٠٠)، ص. ٣٤٥–٣٦٨

فولاش، كجيلد فون وآن-ماري بيرنستيد، *Woven Treasures Textiles from the World of Islam*، كوبنهاغن: مجموعة ديفيد، ١٩٩٣

فرانسيس، مايكل، A Museum of Masterpieces: Safavid Carpets in the Museum of Islamic Art, Qatar، *Hali* ١٥٥ (ربيع ٢٠٠٨)، ص. ١ – ٣٧

غوردينكر، إيميلي إي. س، The Rhetoric of Dress in Seventeenth-Century Dutch and Flemish Portraiture، *The Journal of the Walters Art Gallery* ٥٧ (١٩٩٩)، ص. ٨٧–١٠٤

غولييف، أحمد، *Safavids in Venetian and European Sources. Hilâl. Studi turchi e ottomani* ٩، البندقية: Edizioni Ca' Foscari، ٢٠٢٢

غولييف، أحمد، Giving What They Hold Dear: Safavid Diplomatic Gifts to Venice، *Diplomatica* ٥/١ (٢٠٢٣)، ص. ٢٤–٤٥

هاليت، جيسيكا، Fit for a Palace: The Craze for Safavid Carpets in Seventeenth-Century Europe، محاضرة عبر الانترنت، المتحف الوطني للفنون الآسيوية ١٥ مارس ٢٠٢٢

هانيدا، ماساشي، L'évolution de la garde royale des Safavides, *Moyen Orient et Océan Indien* ١ (١٩٨٤)، ص. ٤١–٦٤

هاردين، إيان وفرانسيس دوفيلد، Microanalysis of Persian Textiles، الدراسات الإيرانية ٢٥/١–٢ (١٩٩٢)، ص. ٤٣–٥٩

حاتم زاد، زينب، Foreign Policy of the Safavid Empire during Shah ʿAbbas I'، *Life Science Journal* ١٠/٨ (٢٠١٣)، ص. ٤٠٥–٤٠٧

هيزيغ، ادموند، The Volume of Iranian Raw Silk Exports in the Safavid Period، الدراسات الإيرانية ٢٥/١–٢ (١٩٩٢)، The Carpets and Textiles of Iran: New Perspectives in Research، ص. ٦١–٧٩

هينون-راينو، جوديث، Precious Manuscripts and Inlaid Objects: Reconstructing Louis Cartier's Islamic Art Collection، في *Cartier and Islamic Art: In Search of Modernity*. نيويورك: تايمز وهادسن، ٢٠٢١، ص. ٥٩–١٠٥

هينون-راينو، جوديث وإيفلين بوسيم، Islamic Art "Revealed": A Path Toward Modern Design في *Cartier and Islamic Art: In Search of Modernity*، نيويورك: تايمز وهادسون، ٢٠٢١، ص. ٣٩–٥٧

هوغتيلينغ، سيلفيا، *The Art of Cloth in Mughal India*، برينستون: مطبعة جامعة برنستون، ٢٠٢٢

جاين، راهول، The Indian Drawloom and Its Products، دورية متحف النسيج، ٣٢–٣٣ (١٩٩٤)، ص. ٥٠–٨١

كاراتزاني، آنا، Metal Threads: The Historical Development في *Textiles and Dress in Greece and the Roman East: A Technological and Social Approach*، تحرير أي. تزاشيلي وإي. زيمي، أثينا: براغماتا بابليكشن، ٢٠١٢، ص. ٥٥–٦٦

لي، روزماري فيرجينيا، The Muslim Counter-Reformation Prince? Pietro della Valle on Shah ʿAbbas I، California Italian Studies ٦/٢ (٢٠١٦)، منشورة عبر الانترنت، https://escholarship.org/uc/item/5zn8t65v (اطّلع عليها في ٨ يوليو، ٢٠٢٣)

ليفين، ب. ب.، The Birth of Ballets Russes، لندن: آلن وأونوين، ١٩٣٦

ليبرستاين، أي. س. و ف. أ. سامكوف، *Sergei Diaghilev and Russian Art: Papers, Letters, Interviews, Correspondence*، مجلدان (بالروسية)، موسكو، ١٩٨٢

ماكي، لويز، Symbols of Power: Luxury Textiles from Islamic Lands, 7th–21st Century، نيو هيفن ولندن: متحف كليفلاند للفنون ومطبعة جامعة ييل، ٢٠١٥

ماثي، رودلف ب.، Anti-Ottoman Politics and Transit Rights: The Seventeenth-Century Trade in Silk between Safavid Iran and Muscovy, *Cahiers du Monde Russe*, ٣٥/٤ (١٩٩٤) ص. ٧٣٩–٧٦١

ماثي، رودلف ب.، *The Politics of Trade in Safavid Iran: Silk for Silver, 1600–1730*، كامبردج: مطبعة جامعة كامبردج، ١٩٩٩

ماثي، رودي ب.، Safavid Iran through the Eyes of European Travelers، نشرة مكتبة هارفرد، ٢٣/١–٢ (٢٠١٢)، ص. ١٠–٢٤

ماكشيسني، روبرت، Four sources on Shah ʿAbbas's Building of Isfahan، *Muqarnas* ٥ (١٩٩٨)، ص. ١٠٣–١٣٤

ماكويليامز، ماري، Three Figurative Velvets from Safavid Iran, *Hadeeth ad-Dar* ١٤ (٢٠٠٣) ص. ٢٢–٢٧

ميلفيل، فيروزة، From les Ballets Russes to les Ballets Persans: The Case of Scheherazade في *Orientality: Cultural Orientalism and Mentality*. ميلان: سيلفلنا إديتوريالي، ٢٠١٥، ص. ٨٥–٩٩

مخبري، سوزان، *The Persian Mirror: Reflections of the Safavid Empire in Early Modern France*، أكسفورد: مطبعة جامعة أكسفورد، ٢٠١٩

مونشي، إسكندر بيغ، *History of Shah ʿAbbas I the Great*، ترجمة روجير م. سافوري، ٣ مجلدات، بولدير، سي أو: مازدا، ١٩٧٨

مفيد، محمد موسطوفي بن نجم الدين بفقي يزدي، *Jamiʿ Mufidi*، تحرير إيرادج أفشار، ٣ مجلدات، طهران: كيتابفوروشي – سي أسدي، ١٩٦٠–١٩٦١

مونرو، نظانين هيدايات، Donning the Cloak: Safavid Figural Silks and the Display of Identity، *Textile Society of America Symposium Proceedings*، ٢٠٠٨، منشورة عبر الانترنت، https://digitalcommons.unl.edu/tsaconf/133 (اطّلع عليها في ١١ يوليو ٢٠٢٣)

مونرو، نظانين هيدايات، *Sufi Lovers, Safavid Silks and Early Modern Identity*، أمستردام: مطبعة جامعة أمستردام، ٢٠٢٣

ناديلهوفير، هانس، كارتييه، لندن: تايمز وهادسون، ٢٠٠٧

نورد، أنديرس ج. وكايت ترونير، A Note on the Analysis of Gilded Metal Embroidery Threads، *Studies in Conservation* ٤٥/٤ (٢٠٠٠) ص. ٢٧٤–٢٧٩

بابازيان، فاهان، Protection of Trade Routes in the 17th Century Safavid State في *Les Arméniens dans le commerce asiatique au début de l'ère modern* تحرير سوشيل شودهوري وكرام كيفونيان، باريس: Éditions de la Maison des sciences de l'homme، ٢٠٠٧، ص. ٢٥٣–٢٥٨

بوتيت، فيوليت، A Journey into the Cartier Archives في *Cartier and Islamic Art: In Search of Modernity*، نيويورك: تايمز وهادسون، ٢٠٢١، ص. ٣٠–٣٧

رزاري، دانيال، Through the Backdoor: An Overview of the English East India Company's Rise and Fall in Safavid Iran, 1616–40 في الدراسات الإيرانية ٥٢/٣–٤ (٢٠١٩)، ص. ٤٨٥–٥١١

ريث، نانسي أ. وإلينور ب. ساكس، *Persian Textiles and their Techniques from the Sixth to the Eighteenth Centuries Including a System for General Textile Classification*، نيو هيفن: متحف بنسلفانيا للفنون، ١٩٣٧

ريتبيرجين، بيتر، Upon a Silk Thread? Relations between the Safavid court of Persia and the Dutch East Indies Company, 1623–1722 في *Hof en handel: Aziatische vorsten en de VOC, 1620–1720*، تحرير إلسبيث لوشير-سشوتن، لايدن: بريل، ٢٠٠٤، ص. ١٥٩–١٨٢

رووي، آن بولارد، After Emery: Further Considerations of Fabric Classification and Terminology، دورية متحف النسيج ٢٣ (١٩٨٤) ص. ٥٣–٧١

سالومي، لورينت ولور دالون، *Cartier: Style and History*، باريس: تجمّع المتاحف الوطنية – غراند باليه، ٢٠١٣

ساردار، ماريكا، Silk Along the Seas: Ottoman Turkey and Safavid Iran in the Global Textile Trade في *Interwoven Globe: The Worldwide Textile Trade, 1500–1800*، تحرير أميليا بيك، نيو هيفن: مطبعة جامعة ييل، ٢٠١٣، ص. ٦٦–٨١

سكارس، جنيفر م.، Venture and Dress: Fashion, Function, and Impact في *Woven from the Soul, Spun from the Heart: Textile Arts of Safavid and Qajar Iran, 16th–19th Centuries*، لندن: مؤسسة نور بالتعاون مع أزيموث برس (Azimuth Press)، ٢٠٢٣

سكيلتون، روبرت، Ghiyath al-Din ʿAli-yi Naqshband and an Episode in the Life of Sadiqi Beg في *Persian Painting from the Mongols to the Qajar*، تحرير روبرت هيلينبراند، لندن ونيويورك: ل. ب. توروس بابليشرز، ٢٠٠٠، ص. ٢٤٩–٢٦١ والملحق ف

سونداي، ميلتون، Pattern and Weaves: Safavid Lampas and Velvet في *Woven from the Soul, Spun from the Heart: Textile Arts of Safavid and Qajar Iran, 16th–19th Centuries*، تحرير كارول بيير، واشنطن العاصمة: متحف النسيج، ٩٨٧، ص. ٥٧–٨٣

سبوهلير، فريدريك، *Seidene Repräsentationsteppiche der mittleren bis späten Safawidenzeit – Die sogenannten Polenteppiche*، أطروحة دكتوراه غير منشورة، جامعة برلين الحرّة، ١٩٦٨

ستاينمان، ليند ك.، Shah ʿAbbas and the Royal Silk Trade 1599–1629 في *Bulletin of the British Society for Middle Eastern Studies* ١٤/١ (١٩٨٧) ص. ٦٨–٧٤

ستاينمان، ليند ك.، Sericulture and Silk: Production, Trade and Export Under Shah ʿAbbas في *Woven from the Soul, Spun from the Heart: Textile Arts of Safavid and Qajar Iran, 16th–19th Centuries*، تحرير كارول بيير، واشنطن العاصمة: متحف النسيج، ١٩٨٧، ص. ١٢–١٩

تيليس إ كونها، جاو، The Portuguese Presence in the Persian Gulf, في *The Persian Gulf in History*، تحرير لورانش ج. بوتر، نيويورك: بالغراف ماكميلان، ٢٠٠٩، ص. ٢٠٧–٢٣٤

طومبسون، جون، Early Safavid Carpets and Textiles في *Hunt for Paradise: Court Arts of Safavid Iran 1501–1576*، تحرير جون طومبسون وشيلا كانبي، ميلان: سكيرا، ٢٠٠٣، ص. ٢٧١–٣١٧

طومبسون، جون. *Silk*، الدوحة: المجلس الوطني للثقافة والفنون والتراث، ٢٠٠٤

فيرنوا، ستيفن، Islamic Art and Architecture: An Overview of Scholarship and Collecting, *c. 1850 – c. 1950* في *Discovering Islamic Art: Scholars, Collectors and Collections, 1850–1950*، تحرير ستيفن فيرنوا، لندن، نيويورك: أي. ب. طوروس، ٢٠٠٠، ص. ١–٦١

ويلش، أنطوني، *Shah ʿAbbas and the Arts of Isfahan*، نيويورك: The Asia Society Inc، ١٩٧٣

وولف، هانس إي، *The Traditional Crafts of Persia: Their Development, Technology, and Influence on Eastern and Western Civilizations*، كامبردج، ماساتشوستس، مطبعة جامعة ماساتشوستس، ١٩٦٦

الأعمال المعروضة

أدناه قائمة كاملة بالمقتنيات المعروضة، معدّة حسب ترتيب المعرض. إن المقتنيات كافة هي من مجموعة متحف الفنّ الإسلامي في الدوحة، إلا إذا أفيد بغير ذلك.

لوحة لسيدة من طبقة النبلاء
إيران، أصفهان، حوالي ١٠٧٥ هـ/١٦٦٥ م
ألوان زيتية على قماش
٨٩ × ١٦٥ سم؛ ٨٩ × ١٦٤ سم (بدون إطار)
متحف الفن الإسلامي، الدوحة، PA.16.2009

لوحة لسيد من طبقة النبلاء
إيران، أصفهان، حوالي ١٠٧٥ هـ/١٦٦٥ م
ألوان زيتية على قماش
٨٩ × ١٦٥ سم؛ ٨٩ × ١٦٤ سم (بدون إطار)
متحف الفن الإسلامي، الدوحة، PA.72.2011

سجادة عرش مع تصميم أوراق منجلية
إيران، كرمان
القرن الحادي عشر الهجري/السابع عشر الميلادي
صوف وقطن وحرير
١٩٥ × ٢٦٨٫٥ سم
متحف الفن الإسلامي، الدوحة، MIA.2013.194

لقاء الشاه عباس مع سفير الهند خان عالم
إيران، أصفهان، حوالي ١٠٣٩-١٠٥٠ هـ/١٦٣٠-١٦٤٠ م
ذهب، حبر وألوان مائية غير شفافة على ورق
١٨ × ٢٧٫٥ سم
متحف الفن الإسلامي، الدوحة، MIA.2014.377

خريطة بلاد فارس والخليج
(Persice Sive Sophorum Regni Typus)
رسم توضيحي من أول أطلس أوروبي للعالم (Theatrum Orbis Terrarum)
بريشة أبراهام أورتيليوس (١٥٢٧-١٥٩٨ م)
بلجيكا، أنتويرب، ١٥٧٠ م
نقش نحاسي على ورق
٤٨ × ٣٤ سم
مكتبة قطر الوطنية، الدوحة، HC.MAP.00282

تاريخ الحرب بين التُرك والفُرس
(Historia della guerra fra Turchi et Persiani)
بقلم جيوفاني توماسو مينادوي دا روفيغو (حوالي ١٥٤٩-١٦١٨ م)
إيطاليا، البندقية، ١٥٨٨ م
طباعة على ورق
٢٢٫٣ × ١٦٫٧ سم (الكتاب مغلق)
مجموعة الكتب النادرة، مكتبة متحف الفن الإسلامي، الدوحة، RARE DR523. M55 H5 1588

ضابط من "قزلباش" على حصان
(كلمة قزلباش بالتركية العثمانية "الرأس الأحمر" وتطلَق على مجموعة الجنود الذين يرتدون غطاء رأس أحمر)
رسم توضيحي من كتاب رحلات السير جان شاردان في بلاد فارس وبلدان المشرق الأخرى (Voyages de Mr. le Chevalier Chardin, en Perse, et autres lieux de l'Orient)
بقلم جان شاردان (١٦٤٣-١٧١٣ م)
هولندا، أمستردام، ١٧١١ م
طباعة على ورق
١٧ × ١٠٫٥ سم
مكتبة قطر الوطنية، الدوحة، HC.FB.2015.0010.006

مناظر لمدن بلاد فارس (Verschiedene Prospecte der Vornemsten Städten in Persien)
بواسطة يوهان بابتيست هومان (١٦٦٣-١٧٢٤ م)
ألمانيا، نورمبرغ، حوالي ١٧١٦ م
نقش على صفيحة نحاسية وألوان مائية غير شفافة على ورق
٤٩ × ٥٨ سم
مكتبة قطر الوطنية، الدوحة، HC.MAP.00937

رحلات وأسفار السفراء الموفدين من قبل فريدريك دوق هولشتاين إلى دوق موسكو العظيم وإلى ملك بلاد فارس
بقلم آدم أوليريوس (١٥٩٩-١٦٧١ م)
ترجمه إلى الإنجليزية جون ديفيز
إنجلترا، لندن، ١٦٦٩ م
طباعة على ورق
٣٢٫٥ × ١٩٫٧ سم
مجموعة الكتب النادرة، مكتبة متحف الفن الإسلامي، الدوحة، MIA RARE DS7. O44 1669

منسوجات حريرية من عهد الشاه عباس
إيران
القرن الحادي عشر الهجري/السابع عشر الميلادي
حرير وخيوط ملفوفة بأسلاك معدنية ثمينة
٩١٫٢ × ٧٤ سم؛ ١٠٦٫٥ × ٢٣ سم؛ ١١٥ × ٣٦٫٧ سم
متحف الفن الإسلامي، الدوحة، MIA.2014.533؛ MIA.2014.529؛ MIA.2014.305

قطعة نسيج بتصميم شبكي
إيران، حوالي ١٠٠٨ هـ/١٦٠٠ م
حرير وخيوط ملفوفة بأسلاك معدنية ثمينة
٧١ × ٥٧٫٥ سم
متحف الفن الإسلامي، الدوحة، TE.206.2010

قطعة نسيج بزخارف نباتية
إيران
القرن الحادي عشر الهجري/السابع عشر الميلادي
حرير وخيوط ملفوفة بأسلاك معدنية ثمينة
٩٣٫٣ × ٢٣٫٥ سم
متحف الفن الإسلامي، الدوحة، MIA.2014.31

تلميذ يتحدى مدرّبَه في المصارعة
رسم توضيحي من كتاب گُلستان (روضة الورد) لسعدي
رسم محمود المذهّب (نشط حوالي ٩٠٥-٩٦٨ هـ/ ١٥٠٠-١٥٦٠ م)
أوزبكستان، بخارى، بتاريخ ٩٦٨ هـ (١٥٦٠-١٥٦١ م)
ذهب وحبر وألوان مائية غير شفافة على ورق
٣٥٫٧ × ٢٣٫٣ سم
متحف الفن الإسلامي، الدوحة، MIA.2013.110

الوزير يلتمس العفوَ للصٍّ شاب
رسم توضيحي من كتاب گُلستان (روضة الورد) لسعدي
رسم محمود المذهّب (نشط حوالي ٩٠٥-٩٦٨ هـ/ ١٥٠٠-١٥٦٠ م)
أوزبكستان، بخارى، بتاريخ ٩٦٨ هـ (١٥٦٠-١٥٦١ م)
ذهب وحبر وألوان مائية غير شفافة على ورق
٣٥٫٧ × ٢٣ سم
متحف الفن الإسلامي، الدوحة، MIA.2013.153

حاكم في حُجرة نَومه
رسم توضيحي من عمل غير معروف من النثر الفارسي
إيران، شيراز، منتصف القرن العاشر الهجري/ السادس عشر الميلادي
ذهب وحبر وألوان مائية غير شفافة على ورق
٢٤٫٦ × ١٤٫٢ سم
متحف الفن الإسلامي، الدوحة، MIA.2014.257

شاب يحمل مخطوطة سفينة (مجموعة شعرية تُكتب بشكل طولاني)
رسم محمد يوسف (نشط حوالي ١٠٤٥-١٠٧٦ هـ/١٦٣٦-١٦٦٦ م)
إيران، أصفهان، ١٠٤٠ هـ/١٦٣٠ م
ذهب وحبر وألوان مائية غير شفافة على ورق
٣١٫٦ × ٢٠٫٣ سم
متحف الفن الإسلامي، الدوحة، MIA.2014.371

قطعة نسيج حريرية عليها نقوش قرآنية
إيران، بداية القرن الثاني عشر الهجري/بداية القرن الثامن عشر الميلادي
حرير وخيوط ملفوفة بأسلاك معدنية ثمينة
٢٥٠٫٥ × ٧١٫٥ سم
متحف الفن الإسلامي، الدوحة، MIA.2014.268

غطاء قبر من الحرير مع نقوش كتابية دينية
إيران، بتاريخ ١١٢٢ هـ (١٧١٠–١٧١١ م)
حرير وخيوط ملفوفة بأسلاك معدنية ثمينة
٩٠٫٥ × ٩٥٫٥ سم
متحف الفن الإسلامي، الدوحة، MIA.2013.159

غطاء قبر من الحرير مع نقوش كتابية دينية
بتوقيع محمد حسن ابن الحاج محمد القاشاني
بتكليف من الحاجة خان زاده، ابنة قاسم أبيانجي
إيران، بتاريخ ١١٥٣ هـ (١٧٤٠–١٧٤١ م)
حرير وخيوط ملفوفة بأسلاك معدنية ثمينة
١١٥ × ٩٠٫٥ سم
متحف الفن الإسلامي، الدوحة، MIA.2013.158

سجادة ذات رصيعة مستديرة
إيران، تبريز، منتصف القرن العاشر الهجري/
السادس عشر الميلادي
صوف وقطن
٦٥٧ × ٣٦٣ سم
متحف الفن الإسلامي، الدوحة، CA.20.1999

سجادة بتصميم مزهرية
إيران، كرمان، القرن الحادي عشر الهجري/
السابع عشر الميلادي
صوف وقطن
٣٥٣ × ٢٨٩ سم
متحف الفن الإسلامي، الدوحة، CA.94.2012

جزء من سجادة على شكل حديقة كبيرة
إيران، ربما تبريز
القرن الحادي عشر الهجري/السابع عشر الميلادي
صوف وقطن
٢٣٦ × ٩٠ سم
المجموعة العامة، متاحف قطر، TFD.2014.15

منظر لمدينة قاشان
رسم توضيحي من كتاب رحلات السير جان شاردان
في بلاد فارس وبلدان المشرق الأخرى (Voyages
de Mr. le Chevalier Chardin, en Perse, et
autres lieux de l'Orient)
بقلم جان شاردان (١٦٤٣–١٧١٣ م)
هولندا، أمستردام، ١٧١١ م
طباعة على ورق
١٧ × ١٠٫٥ (الكتاب مغلق)
مكتبة قطر الوطنية، الدوحة،
HC.FB.2015.0010.003

سجادة بتصميم سعف النخيل
إيران، خراسان، من أواخر القرن الحادي عشر/أواخر القرن
السابع عشر إلى أوائل القرن الثامن عشر الميلادي
صوف وقطن
٦٧٢ × ٣٠٣ سم
متحف الفن الإسلامي، الدوحة، CA.18.1998

بلاطات عليها أنماط زهرية
إيران، أصفهان، القرن الحادي عشر الهجري/
السابع عشر الميلادي
فخار مزجج متعدد الألوان (تقنية كويردا سيكا)
٢٣٫٢ × ٢٣٫٢ سم
متحف الفن الإسلامي، الدوحة، 6–PO.338.2004.1

بلاطات عليها أنماط زهرية وزخارف بنمط الشيفرون ومناظر طبيعية
إيران، أصفهان، القرن الحادي عشر الهجري/
السابع عشر الميلادي
فخار مزجج متعدد الألوان (تقنية كويردا سيكا)
٢٣٫٥ × ٢٤ سم؛ ٢٣٫٥ × ٢٣٫٧ سم؛ ٢٣٫٣ × ٢٣٫٣ سم؛
٢٦ × ٢٢٫٤ سم؛ ٢٥ × ٢٢ سم
متحف الفن الإسلامي، الدوحة، TI.84.2002؛
TI.85.2002؛ PO.358.2004؛ PO.497.2006
وPO.498.2006

لوحة ركنية (زاوية) من البلاط تصوّر مشاهد خارجية
إيران، أصفهان، القرن الحادي عشر الهجري/
السابع عشر الميلادي
فخار مزجج متعدد الألوان (تقنية كويردا سيكا)
١٦٣ × ١٣٥ سم؛ ١١٨ × ١٤٨ سم
متحف الفن الإسلامي، الدوحة،PO.321.2004؛
PO.344.2004

لوحة من البلاط تصوّر غزلاناً وطيوراً في حديقة
إيران، أصفهان، القرن الحادي عشر الهجري/
السابع عشر الميلادي
فخار مزجج متعدد الألوان (تقنية كويردا سيكا)
٨٩ × ١٨٠٫٥ سم
متحف الفن الإسلامي، الدوحة، PO.322.2004

لوحة بانورامية لأصفهان
إنجلترا، القرن الثامن عشر الميلادي
ألوان زيتية على قماش
١٦٥ × ٣٦٦ سم
متحف لوسيل، متاحف قطر، الدوحة، OM.320

منظر لمدينة أصفهان ومحيطها
رسم توضيحي من الجزء الخامس من كتاب الأشياء
الممتعة الغريبة ذات الطبيعة السياسية
والفيزيائية والطبية (Amoenitatum exoticarum
politico-physico-medicarum fasciculi V)
بقلم إنغلبرت كايمفر (١٦٥١–١٧١٦ م)
ألمانيا، ١٧١٢ م
طباعة على ورق
٢٣٫٥ × ١٩٫٥ سم (الكتاب مغلق)
مكتبة قطر الوطنية، الدوحة، HC.FB.2019.0008

منظر لميدان نقش جَهان، ساحة أصفهان العامة
رسم توضيحي من الجزء الخامس من كتاب الأشياء
الممتعة الغريبة ذات الطبيعة السياسية
والفيزيائية والطبية (Amoenitatum exoticarum
politico-physico-medicarum fasciculi V)
بقلم إنغلبرت كايمفر (١٦٥١–١٧١٦ م)
ألمانيا، ١٧١٢ م
طباعة على ورق
٢٢٫٣ × ١٩ سم
مجموعة الكتب النادرة، مكتبة متحف الفن
الإسلامي، الدوحة، MIA RARE Q 111 .H3 1712

منظران لجسر "خاجو" وجسر "الله وردي خان" (المعروف باسم سي وسه بل) في أصفهان
رسمان توضيحيان من كتاب رحلات السير جان
شاردان في بلاد فارس وبلدان المشرق الأخرى
(Voyages de Mr. le Chevalier Chardin, en
Perse, et autres lieux de l'Orient)
بقلم جان شاردان (١٦٤٣–١٧١٣ م)
هولندا، أمستردام، ١٧١١ م
طباعة على ورق
١٧ × ١٠٫٥ سم
مكتبة قطر الوطنية، الدوحة،
HC.FB.2015.0010.008

خريطة موانئ بندر عباس وهرمز والجزر المجاورة
رسم توضيحي من كتاب رحلات جان باتيست
تافيرنييه الست في تركيا وبلاد فارس والهند
(Les six voyages de Jean Baptiste Tavernier
en Turquie, en Perse et aux Indes)
بقلم جان باتيست تافيرنييه (١٦٠٥–١٦٨٩ م)
فرنسا، باريس، ١٦٧٦ م
طباعة على ورق
٢٥ × ٢٠ سم (الكتاب مغلق)
مكتبة قطر الوطنية، الدوحة، HC.FB.01288.01

وصف المشروع الاستعماري البرتغالي في جنوب وجنوب شرق آسيا
رسم توضيحي من كتاب رحلات السير جان شاردان
في بلاد فارس وبلدان المشرق الأخرى (Voyages
de Mr. le Chevalier Chardin, en Perse, et
autres lieux de l'Orient)
بقلم جان شاردان (١٦٤٣–١٧١٣ م)
هولندا، أمستردام، ١٧١١ م
طباعة على ورق
١٧ × ١٠٫٥ سم
مكتبة قطر الوطنية، الدوحة،
HC.FB.2015.0010.010

منظر لغومبرون (بندر عباس حالياً)
من كتاب رحلات جان ستروِيس في موسكو وتارتاري
وبلاد فارس (Les Voyages de Jean Struys, en
Moscovie, en Tartarie, en Perse)
ترجمه إلى الفرنسية من الهولندية يان جانزون
ستروِيس (حوالي ١٦٣٠–١٦٩٤ م)

هولندا، أمستردام، ١٦٨١ م
طباعة على ورق
٢٤ × ١٩ سم (book closed)
المجموعة العامة، متاحف قطر، الدوحة، QM.2016.0362

سجادة عليها تصميم من سعف النخيل والتموجات السحابية والرمان
إيران، أصفهان، أوائل القرن الحادي عشر الهجري/ أواخر القرن السادس عشر-أوائل القرن السابع عشر الميلادي
صوف وقطن
٤٩٠ × ٢٢٠ سم
متحف الفن الإسلامي، الدوحة، CA.70.2007

سجادة
إيران، ٩٨٨-١٠٠٨ هـ/١٥٨٠-١٦٠٠ م
صوف وقطن
١٩٣ × ١٣٦ سم
متحف الفن الإسلامي، الدوحة، MIA.2013.187

سجادة
إيران، ١٠٠٨-١٠٣٤ هـ/١٦٠٠-١٦٢٥ م
صوف وقطن
٢١٩ × ١٥٠ سم
متحف الفن الإسلامي، الدوحة، MIA.2013.182

سجادة بولندية (بولونيز)
إيران، أصفهان، القرن الحادي عشر الهجري/السابع عشر الميلادي
حرير وخيوط ملفوفة بأسلاك معدنية ثمينة
٢٤٥ × ١٤٠ سم
متحف الفن الإسلامي، الدوحة، TE 108.2007

رجل مغربي متكئ على سجادة (Un moro apoyado en un tapiz)
رسم ماريانو فورتوني ي مارسال (١٨٣٨-١٨٧٤ م)
١٨٧٣م
ألوان زيتية على قماش
١٥٠ × ٧٥ سم (بدون إطار)
متحف لوسيل، متاحف قطر، الدوحة، OM.850

سجادة بولندية (بولونيز)
إيران، أصفهان أو قاشان، أواخر القرن العاشر-الحادي عشر الهجري/أواخر القرن السادس عشر -السابع عشر الميلادي
حرير وخيوط ملفوفة بأسلاك معدنية ثمينة
٢٣١ × ١٧٠ سم
متحف الفن الإسلامي، الدوحة، CA.80.2008

قطعة نسيج، مع تصميم زهور بنمط شبكي
إيران، القرن الحادي عشر-الثاني عشر الهجري/السابع عشر-الثامن عشر الميلادي
حرير وخيوط ملفوفة بأسلاك معدنية ثمينة
٦٣ × ٤٩ سم
متحف الفن الإسلامي، الدوحة، MIA.2014.270

قطعة نسيج، مع تصميم زهور بنمط شبكي
إيران، القرن الحادي عشر الهجري/السابع عشر الميلادي
حرير وخيوط ملفوفة بأسلاك معدنية ثمينة
٣٣ × ٢٤ سم
متحف الفن الإسلامي، الدوحة، MIA.2014.280

جزء من سجادة مع تصميم زهور بنمط شبكي
الهند، منتصف القرن الحادي عشر الهجري/السابع عشر الميلادي
صوف، حرير وقطن
١٦٠ × ٩٦ سم
متحف الفن الإسلامي، الدوحة، TE.19.1997

جزء من سجادة مع تصميم زهور بنمط شبكي
الهند، حيدر آباد، حوالي ١٠٧٠ هـ/١٦٦٠ م
حرير وباشمينا
٢٠٦ × ١٢٢ سم
متحف الفن الإسلامي، الدوحة، CA.7.1997

لوحة شخصية لامرأة أرمنية
إيران، أصفهان، حوالي ١٠٦٠-١٠٨٠ هـ/١٦٥٠-١٦٧٠ م
ألوان زيتية على قماش
١٦٣٫٥ × ٩٠
متحف الفن الإسلامي، الدوحة، PA.66.1998

قطعة نسيج بتصميم زهور متعرّشة
إيران، ١٠٠٨-١٠٣٩ هـ/١٦٠٠-١٦٣٠ م
حرير وخيوط ملفوفة بأسلاك معدنية ثمينة
١٢٣ × ٥٥ سم
متحف الفن الإسلامي، الدوحة، MIA.2014.532

إبريق من صنع حرفي أرمني
بتوقيع"ملكوم بن كريكور"
إيران، القرن الحادي عشر الهجري/السابع عشر الميلادي
نحاس أصفر ومادة مركبة سوداء
٢٧٫٥ × ١٨ × ١٣ سم
متحف الفن الإسلامي، الدوحة، MW.281.2006

لوحة شخصية لنبيل يلبس رداءً عليه أزهار وردية وحمراء وزرقاء
إيران، أصفهان، ١٠٦٠-١٠٨٦ هـ/١٦٥٠-١٦٧٥ م
ألوان زيتية على قماش
٢١٨ × ١٢٥ سم
متحف الفن الإسلامي، الدوحة، PA.2.1997

قطعة نسيج عليها زهور وردية وحمراء وزرقاء
إيران، حوالي ١١١١-١١٣٤ هـ/١٧٠٠-١٧٢٢ م
حرير وخيوط ملفوفة بأسلاك معدنية ثمينة
٤٤ × ٣٤٫٧ سم
متحف الفن الإسلامي، الدوحة، MIA.2014.282

صورة لشاب يرتدي زياً أميرياً
بريشة معين المصوّر (١٠٤٧-١١٠٨ هـ/١٦٣٨-١٦٩٧ م)
إيران، أصفهان، بتاريخ ١٠٦٣ هـ/١٦٥٣ م
ذهب وحبر وألوان مائية غير شفافة على ورق
٣٦٫٥ × ٢٤ سم
متحف الفن الإسلامي، الدوحة، MIA.2014.298

قطعة نسيج
إيران، ١٠٠٨-١٠٣٩ هـ/١٦٠٠-١٦٣٠ م
حرير وخيوط ملفوفة بأسلاك معدنية ثمينة
٧٤ × ١٠٧ سم
متحف الفن الإسلامي، الدوحة، TE.204.2010

شاب أنيق يرتدي ملابس على الطراز الأوروبي وقبعة
منسوبة إلى محمد مؤمن (التواريخ غير معروفة)
إيران، أصفهان، حوالي ١٠٦٠ هـ/١٦٥٠ م
ذهب وحبر وألوان مائية غير شفافة على ورق
٢٦× ١٥٫٦ سم
متحف الفن الإسلامي، الدوحة، MIA.2014.334

صورة لفتاة شابة بالزي الأوروبي
منسوبة إلى محمد طاهر النقاش القاشاني، المعروف بالنقشبندي، رسام الزخارف النسيجية (التواريخ غير معروفة)
إيران، أصفهان، ١٠٨٠ هـ/١٦٧٠ م
ذهب وحبر على ورق
١٧٫٣ × ١٢٫٨ سم
متحف الفن الإسلامي، الدوحة، MIA.2014.259

مقلمة عليها صورة أمير وأميرة، مع أفراد من الحاشية وموسيقيين
رسم محمد زمان (نشط ١٠٥٩-١١١٥ هـ/١٦٤٩-١٧٠٤ م)
إيران، أصفهان، بتاريخ ١١٠٩ هـ/١٦٩٧ م
ورنيش
٦٫٦ × ٣٢٫٥ × ٨٫٣ سم
متحف الفن الإسلامي، الدوحة، MIA.2014.17

ملابس الفرس وأزياؤهم
رسم توضيحي من كتاب آسيا، أو سرد مفصل لإمبراطورية المغول العظمى (Asia oder Ausführliche Beschreibung des Reichs des Grossen Mogols)
بقلم أولفيرت دابر (١٦٣٦-١٦٨٩م)
ألمانيا، نورمبرغ، ١٦٨١م
طباعة على ورق
٣٢ × ٢٢ سم
المجموعة العامة، متاحف قطر، QM.2017.1110

نساء إيران الصفوية: عادات وأعراق مختلفة
رسم توضيحي من كتاب رحلات السير جان شاردان
في بلاد فارس وبلدان المشرق الأخرى
(Voyages de Mr. le Chevalier Chardin, en
Perse, et autres lieux de l'Orient)
بقلم جان شاردان (١٦٤٣–١٧١٣ م)
هولندا، أمستردام، ١٧١١ م
طباعة على ورق
١٧ × ١٠,٥ سم
مكتبة قطر الوطنية، الدوحة،
HC.FB.2015.0010.004

شاب جالس برداء قصير الأكمام
منسوبة إلى ميرزا علي
(نشط حوالي ٩٣١–٩٨٣ ﻫ/١٥٢٥–١٥٧٥ م)
إيران، مشهد، ٩٧٧–٩٨٣ ﻫ/١٥٧٠–١٥٧٥ م
ذهب وحبر وألوان مائية غير شفافة على ورق
٢٨ × ١٨,٢ سم
متحف الفن الإسلامي، الدوحة، MS.32.2007

شاب يلبس رداءً مقصَّباً ويمسك بيده مخطوطة سفينة (مجموعة شعرية تُكتب بشكل طولاني)
إيران، مشهد، النصف الثاني من القرن العاشر الهجري/
النصف الثاني من القرن السادس عشر الميلادي
ذهب وحبر وألوان مائية غير شفافة على ورق
٣٢ × ٢٠,٢ سم
متحف الفن الإسلامي، الدوحة، MS.42.2007

شاب جالس في منظر طبيعي
إيران، أصفهان، حوالي ١٠٠٨ ﻫ/١٦٠٠ م
ذهب وحبر وألوان مائية غير شفافة على ورق
٤٤,٧ × ٣١,٦ سم
متحف الفن الإسلامي، الدوحة، MIA.2014.50

فتاة تلبس رداءً طويلاً وتحمل حبة رمان
منسوبة إلى صادقي بك (٩٣٩–١٠١٩ ﻫ/١٥٣٣–١٦١٠ م)
إيران، أصفهان، حوالي ١٠٠٨ ﻫ/١٦٠٠ م
ذهب وحبر وألوان مائية غير شفافة على ورق
٣٧,٦ × ٢٤,٩ سم
متحف الفن الإسلامي، الدوحة، MIA.2014.354

شاب يجلس على وسادة ويحمل كوباً ذهبياً
إيران، أصفهان، حوالي ١٠٠٨–١٠٤٢ ﻫ/١٦٠٠–١٦٣٣ م
ذهب وحبر وألوان مائية غير شفافة على ورق
٣٤,١ × ٢١,٥ سم
متحف الفن الإسلامي، الدوحة، MIA.2014.261

قطعة نسيج
من تصميم وتوقيع سيفي عباسي (١٦٢٨–١٦٧٤ م)
إيران، أصفهان، منتصف القرن الحادي عشر الهجري/
السابع عشر الميلادي
حرير وخيوط ملفوفة بأسلاك معدنية ثمينة
١٠٨ × ٧١,٧ سم
متحف الفن الإسلامي، الدوحة، MIA.2014.530

قطعة نسيج
إيران، ١٠٠٨–١٠٣٩ ﻫ/١٦٠٠–١٦٣٠ م
حرير وخيوط ملفوفة بأسلاك معدنية ثمينة
١٠٧,٨ × ٧١,٦ سم
متحف الفن الإسلامي، الدوحة، MIA.2014.537

قطعة نسيج مزخرفة بصور أشخاص
إيران، قزوين، ٩٨٣–١٠٠٨ ﻫ/١٥٧٥–١٦٠٠ م
حرير وخيوط ملفوفة بأسلاك معدنية ثمينة
١٦٤ × ٧٢ سم؛ ١٦٤ × ٧٠ سم
متحف الفن الإسلامي، الدوحة، TE.9.1998.1–2

شاب يتكئ على وسادة
منسوبة إلى رضا عباسي (٩٧٢–١٠٤٤ ﻫ/١٥٦٥–١٦٣٥ م)
إيران، أصفهان، ١٠٢٩–١٠٣٩ ﻫ/١٦٢٠–١٦٣٠ م
ذهب وحبر وألوان مائية غير شفافة على ورق
٣٢ × ٢٧ سم
متحف الفن الإسلامي، الدوحة، MIA.2014.52

شاب متكئ مع زجاجة وكأس
إيران، أصفهان، حوالي ١٠٤٠ ﻫ/١٦٣٠ م
ذهب وحبر وألوان مائية غير شفافة على ورق
٣١ × ١٩,٢ سم
متحف الفن الإسلامي، الدوحة، MS.235.2002

فتاة شابة جالسة تشرب
منسوبة إلى صادقي بك (٩٣٩–١٠١٩ ﻫ/١٥٣٣–١٦١٠ م)
أو رضا عباسي (٩٧٢–١٠٤٤ ﻫ/١٥٦٥–١٦٣٥ م)
إيران، أصفهان، ٩٩٨–١٠٠٨ ﻫ/١٥٩٠–١٦٠٠ م
ذهب وحبر وألوان مائية غير شفافة على ورق
٤١,١ × ٢٧,٣ سم
متحف الفن الإسلامي، الدوحة، MIA.2014.333

فتاة تلبس رداء طويلاً مقصَّباً
بتوقيع رضا عباسي (٩٧٢–١٠٤٤ ﻫ/١٥٦٥–١٦٣٥ م)
إيران، أصفهان، بتاريخ ١٠٣٤ ﻫ/١٦٢٤ م
ذهب وحبر وألوان مائية غير شفافة على ورق
٣٢,٢ × ٢٠,٥ سم
متحف الفن الإسلامي، الدوحة، MIA.2014.307

شاب واقف ومعه زجاجة وحبة مشمش
إيران، أصفهان، ٩٧٢–١٠٤٢ ﻫ/١٦٠٠–١٦٣٣ م
ذهب وحبر وألوان مائية غير شفافة على ورق
٤٠,٤ × ٢٦,٥ سم
متحف الفن الإسلامي، الدوحة، MIA.2014.312

شاب يحمل دَوْرَقاً
منسوبة إلى رضا عباسي (٩٧٢–١٠٤٤ ﻫ/١٥٦٥–١٦٣٥ م)
إيران، أصفهان، بتاريخ ١٠١٨ ﻫ/١٦٠٩ م
ذهب وحبر وألوان مائية غير شفافة على ورق
٣٥,٣ × ٢٢,٥ سم
متحف الفن الإسلامي، الدوحة، MIA.2014.310

قطعة نسيج
إيران
القرن الحادي عشر الهجري/السابع عشر الميلادي
حرير وخيوط ملفوفة بأسلاك معدنية ثمينة
٢٨ × ٣٥ سم
متحف الفن الإسلامي، الدوحة، MIA.2014.272

قطعة نسيج
إيران، القرنان الحادي عشر والثاني عشر الهجريان/
السابع عشر والثامن عشر الميلاديان
حرير وخيوط ملفوفة بأسلاك معدنية ثمينة
٣٤ × ٣٦,٢ سم
متحف الفن الإسلامي، الدوحة، MIA.2014.39

شاب يحمل درعاً
منسوبة إلى رضا عباسي (٩٧٢–١٠٤٤ ﻫ/١٥٦٥–١٦٣٥ م)
إيران، أصفهان، ١٠٠٨–١٠٢٩ ﻫ/١٦٠٠–١٦٢٠ م
ذهب وحبر وألوان مائية غير شفافة على ورق
٣٩ × ٢٥,٥ سم
متحف الفن الإسلامي، الدوحة، MIA.2014.309

قطعة نسيج
إيران، القرن الحادي عشر الهجري/
السابع عشر الميلادي
حرير وخيوط ملفوفة بأسلاك معدنية ثمينة
١٠٦,٤ × ٧٤ سم
متحف الفن الإسلامي، الدوحة، MIA.2014.534

شاب جالس يرتدي قبعة من صوف خراف الكاراكول
إيران، أصفهان، حوالي ١٠١٩ ﻫ/١٦١٠ م
ذهب وحبر وألوان مائية غير شفافة على ورق
٣٥,٢ × ٢٢,٧ سم
متحف الفن الإسلامي، الدوحة، MIA.2014.255

شاب يرتدي قبعة مدببة وسترة لها حافة من الفراء
منسوبة إلى محمد قاسم (نشط حوالي ١٠٠٨ ﻫ،
وتوفي ١٠٦٩ ﻫ/١٦٠٠ م، وتوفي ١٦٥٩ م)
إيران، أصفهان، ١٠٣٩–١٠٤٩ ﻫ/١٦٣٠–١٦٤٠ م
ذهب وحبر وألوان مائية غير شفافة على ورق
٣٢,٨ × ٢٢,١ سم
متحف الفن الإسلامي، الدوحة، MIA.2014.281

شاب يرتدي معطفاً وردياً وعمامة ضخمة
منسوبة إلى محمد قاسم (نشط حوالي ١٠٠٨ ﻫ،
وتوفي ١٠٦٩ ﻫ/١٦٠٠ م، وتوفي ١٦٥٩ م)
إيران، أصفهان، ١٠٣٩ ﻫ/١٦٣٠ م
ذهب وحبر وألوان مائية غير شفافة على ورق
٤١ × ٢٨,٨ سم
متحف الفن الإسلامي، الدوحة، MIA.2014.314

قطعة نسيج
إيران، القرن الثاني عشر الهجري/الثامن عشر الميلادي
حرير وخيوط ملفوفة بأسلاك معدنية ثمينة
١٤٩ × ٧١,٣ سم
متحف الفن الإسلامي، الدوحة، TE.105.2007

أمير شاب في منظر طبيعي
بريشة علي قولي جابادار (نشط في النصف الثاني من القرن الحادي عشر الهجري/السابع عشر الميلادي)
إيران، أصفهان، ١٠٧٠–١٠٨٦ هـ/١٦٦٠–١٦٧٥ م
ذهب وحبر وألوان مائية غير شفافة على ورق
٣٣,٨ × ٢١,٢ سم
متحف الفن الإسلامي، الدوحة، MIA.2014.453

صورة شاب يحمل صينية بها أكواب وإبريق معدني
للشيخ عباسي (نشط ١٠٦٠–١٠٩٥ هـ/١٦٥٠–١٦٨٤ م)
إيران، أصفهان،١٠٦٠–١٠٨٦ هـ/١٦٥٠–١٦٧٥ م
ذهب وحبر وألوان مائية غير شفافة على ورق
٣٣,٦ × ٢١ سم
متحف الفن الإسلامي، الدوحة، MIA.2014.454

معطف
إيران، القرن الثاني عشر الهجري/الثامن عشر الميلادي
حرير وخيوط ملفوفة بالقطن وبأسلاك معدنية ثمينة
١٠٢ × ١١١ سم
متحف الفن الإسلامي، الدوحة، CO.170.2003

الأعمال المعاصرة

أرمان منصوري
ثقافة الغموض
ساتان مطبَّع، حرير ومخمل

نور آل ثاني
صفحات صفوية
حرير، أورغانزا وشيفون

روني حلو
حكايا مخبأة
سجاد حريري "نباتي" مستعاد

ياسمين منصور
الكتاب (قفطان)
قماش قِنب مقصوص ومطوي، طلاء أكريليك

رأس لحصانين (بساط)
قماش قِنب مقصوص ومطوي، طلاء أكريليك

جواهر
حدائق الجنة: إطلالة على النعيم الأبدي
سبع حقائب يد - خشب منحوت يدوياً، ذهب، أحجار شبه كريمة
وشاح - قماش باشمينا منسوج مع تطريز يدوي

دار السلام
خشب قيقب، ذهب، ماس
استغرق إنتاجها ٦٠٠ ساعة (تقريباً)

راضية مرضية
خشب قيقب، أحجار شبه كريمة
استغرق إنتاجها ٤٠٠ ساعة (تقريباً)

جنةً وحريرا
خشب قيقب، أحجار شبه كريمة
استغرق إنتاجها ٤٥٠ ساعة (تقريباً)

الحسنى
خشب، أحجار شبه كريمة
استغرق إنتاجها ٢٠٠ ساعة (تقريباً)

روح وريحان
خشب، أحجار شبه كريمة
استغرق إنتاجها ٤٠٠ ساعة (تقريباً)

حدائق ذات بهجة
خشب قيقب، أحجار شبه كريمة
استغرق إنتاجها ٤٠٠ ساعة (تقريباً)

دار القرار
خشب قيقب، ذهب، ماس، لؤلؤ، أحجار شبه كريمة
استغرق إنتاجها ٧٠٠ ساعة (تقريباً)

السكينة الأبدية
شال من قماش باشمينا منسوج يدوياً، حرير مطرز
استغرق إنتاجه ٤٠٠٠ ساعة (تقريباً)

سعادة الشيخة المياسة بنت حمد بن خليفة آل ثاني
رئيس مجلس أمناء متاحف قطر

السيد محمد سعد الرميحي
الرئيس التنفيذي بالإنابة لمتاحف قطر

الشيخة آمنة بنت عبد العزيز آل ثاني
نائب الرئيس التنفيذي بالوكالة للمتاحف
والمقتنيات وحماية التراث

جوليا غونيلا
مدير متحف الفن الإسلامي

المعرض

أناقةٌ إمبراطورية: منسوجات من إيران الصفوية
متحف الفن الإسلامي، الدوحة
٢٣ أكتوبر ٢٠٢٣ – ٢٠ أبريل ٢٠٢٤

الأمينتان
نيكوليتا فازيو، الأمين الرئيسي
تارا ديجاردان، الأمين المساعد

الشؤون المتحفية
شيخة ناصر النصر، نائب المدير للشؤون المتحفية

إدارة المعرض
أنجلينا ماونتفورد، إليسا مادورو، لولوة السليطي

إدارة المقتنيات
سارة آن بويد، منى الساعي، مريم علي، منال المري،
خوان مارتينيز دي ميدينا، إيرول إيتورياغا، جوردني
غوني فيرشر، شيخة الكعبي

الترميم
ريم الخزاعي، سرحات كاراكايا، ستيفان
ماساروفيتش، دومينيكا كوستولنيكوفا
تاتيانا زدانوفا (مجموعة متاحف قطر العامة)

الأصول الرقمية
مارك بيلترو، سمر كساب، كريسوفالانتيس
لامبريانيديس، كريستيان سانشيز

الترجمة والتدقيق
سلام شغري، الدكتور سليمان العميرات

حقوق الفيديو
أمين سفريبور

التعليم وتوعية المجتمع
سالم عبد الله الأسود، أنوار عفيفة،
نورا المعضادي، روضة محمد، عائشة
النعمة، سوزان باركر ليفي وفرقهم

العمليات والأمن وإدارة المرافق
عبد الله الدوسري، أحمد الكلباني،
ناصر المعينس وفرقهم

قاعات العرض
ستيفن جون باركلي، جوزيف كونراد إنسيناريس،
رينالدو باتونجباكال، أوفيل سلفادور مانجوني،
روميل ديلا فيغا

الفعاليات
فراز احمد

تصميم وبناء المعرض
مشاريع اسباي فيجوال الثقافية، برشلونة، إسبانيا

إنتاج البودكاست
كيرنينغ كالتشرز: آل شيباني، محمد خريزات،
بيلا إبراهيم، هبة فيشر

حقوق الفيديو
أمين سفريبور

دعم متاحف قطر
كل الشكر للمتاحف والإدارات التالية:
التجربة الرقمية، الشؤون القانونية، الشؤون المالية،
التسويق، التواصل الاجتماعي والاتصالات،
المشتريات، المطبوعات، والترجمة

شكر إضافي لـ: قطر تُبدع، التسويق والاتصالات في
إن-كيو، السلع في إن-كيو، مؤسسة الدوحة للأفلام
وماريكا سردار

شكر خاص
تم تصميم معرض "أناقةٌ إمبراطورية" وتقديمه
لأول مرة في متحف سميثسونيان الوطني للفن
الآسيوي، في واشنطن. شكر خاص لمدير متحف
سميثسونيان تشيس روبنسون ومعصومة فرهاد،
أمينة الأسرة الإبراهيمية للفن الفارسي والعربي
والتركي بالمتحف، والمدير المساعد الأول للأبحاث،
للدعم الكبير الذي قدماه.

المصممون
جواهر يوسف الدرويش، نور آل ثاني، روني حلو،
ياسمين منصور، أرمان منصوري

الجهات المقرضة للمعرض
مكتبة قطر الوطنية – مكتبة التراث
متحف لوسيل، متاحف قطر، الدوحة
المجموعة العامة، متاحف قطر، الدوحة
مجموعة خاصة، الشيخة شيخة جبر حمد آل ثاني

منتدى مشيرب الثقافي (M7)
مها السليطي، مراكش إليزابيث آرباكل،
كارين كلير غينز نيكوليه، هند المنصور

الكتاب

أناقةٌ إمبراطورية: منسوجات من إيران الصفوية

فكرة المعرض
نيكوليتا فازيو

المؤلفون
تارا ديجاردان
معصومة فرهاد
نيكوليتا فازيو
سومرو بلغير كرودي
تاتيانا زدانوفا

التصميم
كلارا سانجو
ربى يمين

التحرير
ماريكا سردار

قسم المطبوعات في متاحف قطر
رندة تقي الدين، مدير
تريسي غولدينغ، التحرير
ليزا غاي، حقوق الصور
فرح أبو رمضان، التدقيق

الترجمة إلى العربية
هنادي مزبودي
سلام شغري

عن الكُتّاب المساهمين

تارا ديجاردان هي أمينة قسم جنوب آسيا في متحف الفنّ الإسلامي في الدوحة، وسبق أن تولّت مناصب أمانة في متحف فيكتوريا وألبيرت ومتحف سان دييغو للفنون. أشرفت في عام ٢٠١٩ على معرض "أحجار كريمة ومجوهرات من البلاط الملكي الهندي"، وشاركت في عام ٢٠٢٢ في الإشراف على المعرض الخاص "بغداد: قرّة العين". وقد نُشرت أبحاثها من قبل Association Internationale pour l'Histoire du Verre و *Journal of Glass Studies* ومطبعة جامعة ييل.

معصومة فرهاد هي أمينة العائلة الإبراهيمية لمقتنيات الفنّ الفارسي والعربي والتركي والمديرة المساعدة العليا للأبحاث في متحف سميثونيان الوطني للفنّ الآسيوي، تختصّ بفنّ الكتب الصفوية وأشرفت على العديد من المعارض، آخرها "أناقةٌ امبراطورية: منسوجات صفوية من متحف الفنّ الإسلامي في الدوحة" (٢٠٢١). وتتضمّن منشوراتها "فنّ القرآن: كنوز من متحف الفنّ التركي والإسلامي" (٢٠١٦) و"شغف جامع مقتنيات: عزت مالك سودافار والورنيش الفارسي" A Collector's Passion: Ezzat-Malek-Soudavar and Persian Lacquer (٢٠١٧)

نيكوليتا فازيو هي أمينة قسم الأراضي الإيرانية في متحف الفنّ الإسلامي في الدوحة، وضليعة بتاريخ الفنون مع التركيز على حقبة العصور الوسطى. تخصصت في دراسات العصور الوسطى والفنّ الإسلامي والآثار في جامعة جنوة في إيطاليا، كما درست التاريخ الثقافي والفكري في معهد واربورغ في لندن، قبل أن تنال شهادة الدكتوراه في تاريخ الفنّ العالمي من جامعة هايدلبرغ في ألمانيا. قبل الانضمام إلى فريق الأمناء في الدوحة، عملت أمينة متاحف مبتدئة في متحف الفنّ الإسلامي في برلين.

سومرو بلغير كرودي هي أمينة متاحف أولى في متحف جامعة جورج تاون ومتحف النسيج في واشنطن العاصمة، متخصصة بالأنسجة التي تعود إلى العصور القديمة المتأخرة والعالم الإسلامي. وقد أسهمت في الإشراف على العديد من المعارض في متحف النسيج، آخرها معرض "الصلاة والسمو" Prayer and Transcendence (٢٠٢٣). وهي مؤلفة أو مؤلفة شريكة في العديد من المنشورات حول المعارض، منها "ديكورات داخلية محاكة: الأثاث في مصر في العصور الوسطى المبكرة" Woven Interiors: Furnishing Early Medieval Egypt (٢٠١٩) و"فنّ البدو: سجاد كليم في الأناضول" *A Nomad's Art: Kilims of Anatolia* (٢٠١٨) و"كشف الهوية: سجادنا، قصصنا" Unraveling Identity: Our Textiles, Our stories (٢٠١٥)، "حديقة السلطان" *The Sultan's Garden*.

تاتيانا زدانوفا هي مسؤول الترميم في إدارة المقتنيات العامة، وعملت مرمّمة نسيج في الفترة بين ٢٠١٣ و٢٠٢٣، حيث تولّت الإشراف على مجموعة النسيج في متحف الفنّ الإسلامي في الدوحة. قبل الانتقال إلى قطر عام ٢٠١٣، عملت في متحف الدولة ومركز المعارض "روسيزو" ('ROSIZO) كمرممة للنسيج الأثري والتاريخ والسجاد الأوروبي.

حقوق الصور

الشكر موصول إلى:
المكتبة الوطنية الفرنسية، ص. ٣٥؛ صور كريستيز/ صور بريدجمان ص. ٣٩؛ صور مؤسسة التراث القومي/ ديريك إي. ويتي، ص. ٣٠؛ مكتبة قطر الوطنية ص. ١٥، ٨٦-٨٧، ٨٩؛ متحف فيكتوريا وألبيرت، ص. ٣٦

النشر والتوزيع

متاحف قطر
الدوحة، قطر
www.qm.org.qa

سكيرا إديتوري
ميلانو، إيطاليا
www.skira.net

نُشر لأول مرة في العام ٢٠٢٣ من قبل سكيرا
إديتوري س.م.أ بالتعاون مع متاحف قطر.

تمت طباعة الكتاب وتجليده في إيطاليا.
الطبعة الأولى

الرقم الدولي المعياري (سكيرا إديتوري):
978-88-572-5175-2
الرقم الدولي المعياري (متاحف قطر):
978-9927-108-84-6
رقم الإيداع القانوني في قطر: 2023/1051

يوزّع في الولايات المتحدة الأميركية وكندا وأميركا
الوسطى والجنوبية بواسطة آرت بوك د.ا.ب.
٧٥ شارع برود، جناح ٦٣٠، نيويورك،
نيويورك ١٠٠٠٤، الولايات المتحدة الأميركية.

يوزّع في أماكن أخرى من العالم بواسطة
تايمز وهادسون المحدودة، 181A هاي هولبورن،
لندن WC1V 7QX، المملكة المتحدة.